생계형 공과 남자의 인문학 공부

생계형 공과 남자의 인문학 공부

발 행 | 2023년 12월 06일
저 자 | 정충영
펴낸이 | 한건희
펴낸곳 | 주식회사 부크크
출판사등록 | 2014.07.15(제2014-16호)
주 소 | 서울특별시 금천구 가산디지털1로 119 SK트윈타워 A동 305호
전 화 | 1670-8316
이메일 | info@bookk.co.kr

ISBN | 979-11-410-5761-9

www.bookk.co.kr

생계형 공과 남자의 인문학 공부

인문학 독서로 행복 찾는 법

정충영

프롤로그

흙수저와 먹고사니즘

유시민 작가의 '문과 남자의 과학 공부'를 재미있게 읽었다. 유시민 작가는 스스로를 '운명적 문과'라고 했다. 수학과 과학에 관심이 많지 않았으니, 운명적으로 문과를 선택할 수밖에 없었다는 거다. 그래도 수학 공식을 달달 외우고 열심히 문제집 풀어 서울대 경제학과까지 들어갔으니 수재였음은 틀림없다. 100분 토론, 썰전, 알쓸신잡 등 방송에 나와 보여줬던 반박 불가의 토론 실력, 그리고 30권의 독저(獨著)와 열 권의 공저(共著)를 낼 정도의 필력은 과히 그를 '성공한 문과'로 칭송할 만하다. 나는 그의 천재성이 부럽다.

유시민 작가의 책을 읽다 보니 불현듯 5호선 3번 출구 앞에선 내 삶을 반추하게 된다. 나는 문과가 아닌 공과다. 그것도 '운명적 공과'가 아닌 '생계형 공과'다. 중학교 때 기술 선생님이 내 운명을 좌우할 치명적 조언을 주셨다. "느거들 공대 안가면 다 굶어 죽는데이." 세속적이었지만 현실적이었던 그의 조언, 아니 예언은 사춘기의 꿈에 부풀어 있던 나에게는 마이크 타이슨의 핵펀치였다.

아사(餓死)에 대한 공포때문에 생계형 공과에서 출발한 나는 34년의 세월이 흐른 지금 인문학의 매력에 푹 빠져 있다. 30년 이상 솔잎만 먹던 송충이가 갑자기 동남아 풀인 '고수'를 먹겠다고 덤비는 셈이다. 살아온 커리어를 완전히 바꾸는 건 모험이다. 나는 지금 영화 '인디아나 존스'에서 성배를 찾아 모험을 떠나는 해리슨 포드가 된 기분이다. (부끄럽지만 연식이 나온다.) 모험을 떠나기 앞서 내가 생계형 공과 남자가 된 이유와 인문학에 빠진 계기를 프롤로그에 이야기하고자 한다. 일종의 작은 자서전이다.

우리 집은 '흙 수저'였다. 아버지는 폐타이어 재생 공장에서 단순 육체노동으로 가족을 부양했고, 어머니도 맞벌이를 해야만 했다. 노가다로 골병이 들어가시던 아버지는 어느 날 계림 출판사의 문고판 책을 하나 사다 주셨다. "나폴레옹 전기"였다. 아마도 몸 편한 화이트컬러에 대한 로망을 내가 실현해 주길 원하셨던 듯하다. 그날 이후로 나는 위인전 읽기의 매력에 빠져 특별한 맥락 없이 간디, 케네디, 칭기즈칸, 카네기, 예수 등 소위 영웅들의 이야기를 섭렵하기 시작했다. 아버지의 전략은 먹혔다. 나는 어느덧 책 읽는 습관이 생겼고, 학교 성적이 좋아졌다.

부산외곽의 우리 동네는 주변에 계단식 논이 있는 비탈진 언덕으로 낙후된 동네였다. 심지어 여름 장마기간에는 동네를 가로 지르는 조그만 개천으로 누군가 화장실 똥물을 흘려 보내기도 했다. 그 개천 옆에 무허가 판자집들도 몇 있었는데 그들은 '흙수저'보다 못한 '똥수저'라고 불릴만했다. 흙수저 보다 못한 똥수저가 수두룩했기에 나는 우리 집이 '은수저'나 되는 줄 착각하고 살았다.

먹고 살기 급하고 교육열이 낮은 가난한 동네에서 책 좀 읽은 내가 공부 좀 하는 건 식은 죽 먹기였다. 엄마는 당신 아들이 무슨 천재라도 되는듯 맞벌이로 바쁜 와중에도 틈틈이 동네 아주머니들께 자랑하기 바빴다. 초등학교 때는 글짓기 대회, 미술 대회 등 무슨 대회만 있으면 나보고 나가라고 했다. 내키지 않았던 수학경시대회까지 억지로 나갔다. 하지만 당시 내가 좋아한 과목은 미술이었다. 중학교때는 교내 미술부에 들어가서 그림도 그렸다. 재능이 특출나지는 않았지만, 그림 그리는 순간이 행복했다.

그러던 어느 날, 아마 중 3 때였을 것이다. 오래 고민한 뒤 엄마한테 조심스럽게 물었다. "엄마, 나 미술 해도 되나?" 엄마는 흠칫 놀랐고 동공은 흔들렸다. 실망스럽게도 엄마의 첫 반응은 못들은 척하기였다. 급해진 내가 다시 물었다. "나 화가가 되고 싶다. 해도 되나!!!" 그러자 마침내 짜증이 섞인 엄마의 대답이 돌아왔다.

"우리 집에 돈이 어딨노?!! (어디 있니?)"

37년이 지난 지금도 그때 엄마의 말이 생생하게 나의 뇌리에 박혀 있다. 그 후 고 1 때 담임선생님이 미술을 시키면 어떻겠냐고 물었을 때도 엄마는 단호하게 거절했다. "내는 물감 대줄 돈도 없으예, 절대 미술은 못 시킵니더"

나는 무엇을 향해 달려가고 있었던가

그 이후로 나의 생계형 공과 프로그램은 본격적으로 가동되기 시작했다. 나는 내 꿈을 앗아가 버린 엄마와 엄마를 그렇게 만든 돈을 미워하면서도, 꿈 이전에 생계를 위해서는 돈을 사랑해야 함을 깨달았다. 서머싯 몸의 소설 '달과 6펜스'에서, 나는 6펜스에 집중하기 시작했던 것이다. 미술, 음악 등 소위 예체능에는 투자 자본이 많이 들어간다. 부모님의 재력이 뒷받침되어야 함은 사실이다. 엄마는 우리 가계의 상황을 냉철하게 인식하고 있었다. 그래서 지금의 나는 엄마의 결정을 존중한다. 그때부터 나의 최대 목표는 내 꿈을 포기하게 만든 이 나쁜 상황, 즉 흙수저에서 벗어날 수 있고, 돈을 많이 벌 수 있는 의대나 공대에 진학하는 것이 되었다.

그렇다고 수학이나 과학이 갑자기 좋아지지는 않았다. 수학 선생님들은 열심히 미적분(微積分)을 설명해 주셨지만, 그게 우리 삶에 어떤 쓰임이 있는지에 대한 이야기는 안 해 주셨다. 물리 선생님은 열심히 칠판에 쓰면서 패러데이 법칙을 설명해 주셨지만, 그게 실생활에 어떻게 연결되는지에 대해서는 이야기할 시간이 없었다. 선생님들은 진도 나가기 바빴고, 우리는 문제를 풀기에 바빴다. 우리는 미친 듯이 공부했고, 시험이 끝나면 다 잊어버렸다. 우리는 질문하지 않았고 선생님도 질문을 바라지 않았다. 특히 '생계형 공과'

는 질문하지 않는다. 그저 열심히 문제집을 풀 뿐이었다.

그러던 고 3 야간 자율학습 시간, 나는 수학을 무지 잘하지만 나와는 그다지 친하지는 않았던 H와 얘기를 나누다가 큰 충격에 빠진다. 그 녀석이 내가 전혀 모르는 외계어를 지껄였기 때문이다. '형이상학', '칸트', '니체', '쇼펜하우어', 그리고 '이상'의 '날개'까지... 나는 그가 말한 내용에 충격을 받은 것이 아니라, 그가 말한 내용을 전혀 알아들을 수 없는 스스로한테 충격에 빠졌다. 하마터면 "야! 니 뭐라고 씨부리쌌노, 시험에도 안 나오는 씰데없는 거는 알아서 뭐하노."라고 소리치며 그 녀석의 아구통을 한 대 날릴 뻔 했다. 하지만 나는 꾹꾹 참으며 그가 하는 말을 경청했다. 그녀석은 오른쪽과 왼쪽 안경알이 달랐다. 짝눈이었던 것이다. 어릴 때 천체 망원경으로 태양을 관찰하려고 한 쪽 눈을 들이댔다가 그리 되었다는 것이다. 세상에…

나는 H 때문에 대학입시라는 오솔길 주변으로 뭔가 엄청나게 큰 밀림이 있다는 걸 어렴풋이 깨달았다. H가 나에게 소개해 준 '고등학생을 위한 철학 입문서' (제목이 이것인지 기억이 가물가물하다.)를 읽었다. '도올 김용옥' 선생이 쓴 책인데 철학 개념에 대해 쉽고, 일목 요연하게 정리되어 있었다. 내친김에 나는 도올 선생의 신간 저서 '여자란 무엇인가'를 사서 읽었는데 너무 어려워서 포기해 버렸다. 제목에 낚였다고나 할까. 하지만 철학 책 읽기는 잠시의 일탈이었고 나는 다시 '생계형 공과'의 궤도로 돌아왔다. 그리고 운 좋게 공대에 무난히 합격했다.

대학 1학년은 술과 단체 미팅 그리고 최루탄 냄새 자욱한 캠퍼스의 콜라주였다. 덕분에 학점은 당시 유명 야구선수 선동열의 방어율 (1점대) 이었다. 선배들이 추천해 주는 책들을 읽었다. '철학 에세이', '스스로를 비둘기라고 믿는 까치에게', '거꾸로 읽는 세계사' 이런 책들이었다. 대학은 자유로웠지만 미래는 불안했다. 그래서 군대를 갔다. 군대는 구속이었지만 제대라는 미래가 확실히 정해져 있다. 하지만 제대 이후는 도피처가 없다는 생각에 아카데미 토플, 이재옥 토플을 공부했다. 그리고 내무반에 있던 통속소설 '혼자 뜨는 달'이나 '키재기'를 읽었다. 생계형 공과인 나에게 여전히 인문학은 먼 나라 얘기였다.

복학 후에는 취업을 위한 나쁘지 않은 성적이 필요했다. 그래서 내가 주로 읽는, 아니, 공부하는 책은, 전공 서적이었다. 가끔 자기 계발서를 읽었다. 대우 그룹 총수 김우중 회장의 '세상은 넓고 할 일은 많다.'같은 책이었다. 사업을 위해 점심을 두세 탕을 먹는 에피소드에서 눈시울이 시큰했고, 나도 김회장처럼 성공한 사업가가 되어야지 하는 꿈을 키웠다. 생계형 공과 답게 나는 점점 성공 지향적이고 합리적 (혹은 계산적)이 되어 갔다.

90년대 대한민국은 세계화 열풍을 맞으며 성장을 거듭하고 있었다. 당연히 취업시장은 그린 라이트였다. 기업들은 인력난에 허덕였고 대졸자 채용 경쟁은 치열했다. 졸업반 학생은 교수의 추천서를 많게는 서너 장씩 받을 수 있었고, 나는 3학년에 이미 대기업 인턴에 합격한 상황이었다. 하지만 취업하자마자 그해 가을 IMF를 맞았다. 회사는 계열사에 합병되고 구조조정에 들어갔으나 신입사원이었던 나는 해고되지 않았다. 나는 운이 좋은 사람이었다. 하지만 김우중 회장은 운이 나빴다. 그의 사업은 공중 분해되었다.

엔지니어로서 대기업 직장 생활을 시작했다. 프로젝트 단위로 진행되는 사업이다 보니 업무가 역동적이었다. 심심할 틈이 없었다. 매일 야근이었고, 회식이었고, 바빴다. 하지만 7년쯤 지나자 일이 너무 쉬워졌고 재미가 없었다. 그나마 나에게 삶의 재미를 준 건 회사에서 운영하는 동호회 활동이었다. 산악회와 마라톤회였다. 마라톤에 푹 빠져 매일 달렸고, 격주마다 대회에 나갔다. 내 몸이 강해지는 것을 느꼈고 기록이 갱신될 때마다 희열을 느꼈다. 하지만 내 영혼은 점점 빈곤해져 갔다. 10년의 엔지니어 생활에 염증이 난 나는 퇴사를 결심했다. 그때 친한 동기가 나를 해외영업팀에 소개해 줬다.

해외 영업은 신세계였다. 고객과 파트너를 만나기 위해 동남아, 중동을 쉴 새 없이 돌아다녔고, 계약을 따냈고, 누락 없는 승진은 계속되었다. 나의 미래는 장미 빛이었다. 해외 지사장이나 법인장을 하고, 임원이 되는 것이 나의 미래였다. 임원 방과 비서와 그랜저 법인차, 그리고 법인카드가 나올 것이다. 매일매일이 전투였지만 꿈을 가슴에 품고 견뎌내었다.

그 꿈이 헛된 것임이 밝혀지는 데는 오래 걸리지 않았다. 사내 정치를 못했고, 좋은 기회들을 뺏겼다. 설상가상으로 소속되어 있던 본부가 큰 손실을 냈고, 대대적으로 축소될 것이라는 소문이 파다했다. 정년 맞은 선배들뿐 아니라 정년이 남은 선배들까지 회사를 떠났다. 부장까지는 겨우겨우 올라갔지만 임원이 될 가능성은 없었다. 네이버 나이계산이 내 나이가 40대 후반이란 것을 일깨워주었다. 어두운 터널로 들어선 기차가 된 기분이었다. 도대체 나는 무엇을 향해 달려가고 있었던가?

생계형 공과 남자의 인문학 여행

40대에 사춘기가 시작되었다. 갑자기 궤도를 탈선한 열차가 된 느낌이었다. 방황했다. 방황을 멈추기 위해서 책을 읽기 시작했다. 주로 출퇴근 시간 전철에서 혹은 출장 가는 비행기 안에서 책을 읽었다. 아무 책이나 닥치는 대로 읽었다. 본격적으로 책을 읽기 시작한 것은 약 8년쯤 전이었다. 해외 파견 중에는 출장 비행기나 숙소에서 책을 읽었던 것 같다.

당시 읽었던 책이 '나는 단순히 살기로 했다.' (사사키 후미오), '아, 보람 따위 됐으니 야근 수당이나 주세요.' (히노 에이 타오), '가면사축' (고다마 아유무), '미움받을 용기'(고가 후미타케/기시미 이치로)같은 책이었다. 직장인에겐 위험한 책이었다. 하지만 뭔가 답답함이 풀리고 힐링이 되었다.

그러다 초보를 위한 인문학 책을 읽기 시작했다. '지적 대화를 위한 넓고 얕은 지식 (지대넓얕)' 시리즈 (채사장) 이었다. 이 책을 통해 나는 역사, 경제, 정치, 사회, 윤리, 철학, 과학, 예술, 종교, 신비 등에 대한 기초 개념을 이해했다.

좀 자신이 붙자 고전문학이 읽고 싶어졌다. '월든' (헨리 데이비드 소로), '파우스트' (괴테), '카라마조프 가의 형제들' (도스토옙스키), '마음' (나스메 소세키), '동물농장' (조지 오웰), '페스트' (알베르 카뮈), '전쟁과 평화' (레프 톨스토이), '안나 카레니나' (레프 톨스토이) 등. 솔직히 호기심이 당기는 대로 마구잡이로 읽었다. 누구나 제목은 알지만 읽은 사람이 거의 없는 고전 문학을 주로 읽었던 것 같다. 공대 출신 동료들이 대부분인 내 직장에는 이런 책들을 읽고 같이 얘기 나눌 사람은 없었다. 외로움을 느꼈다. 하지만 고전문학을 읽으면서 점차 세상을 보는 눈이 변해 갔다. 크게 세 가지를 깨달았다.

첫째, 이 세상에는 참으로 다양한 인간들과 삶이 존재한다.

둘째, 인생에 당연한 것이란 없다.

셋째, 우리는 질문을 던질 수 있어야 한다.

학창 시절에 시작도 못했던 '태백산맥' (조정래) 全 열 권을 읽었다. 하지만 니체의 '차라투스트라는 이렇게 말했다'는 읽다가 포기했다. '이방인' (알베르 카뮈), '변신' (프란츠 카프카), '지상의 양식' (앙드레 지드) 등 소위 실존주의 문학에도 심취해봤다. 그러다 2016년 겨울 '그리스인 조르바' (니코스 카잔차키스)를 만났다. 그저 우연히, 집안에 굴러다니던 책이었고 나의 손안에 잡혔을 뿐이었다. 운명적인 만남이었다. 좌고우면하며 전전긍긍하며 노심초사하며 좌불안석하면서 먹물의 삶을 살았던 나는 해머로 뒤통수를 맞은 느낌이었다.

고전 문학과 현대문학들, 그리고 '사피엔스'(유발 하라리), '총균쇠'(제레드 다이아몬드) 같은 문화 인류학, '코스모스' (칼 세이건) 같은 과학, 그리고 역사서, 심리학, 사회학, 미학 등 분야를 가리지 않고 읽어댔다. 지금까지 읽었던 책들을 세어 보았더니 약 1,000권에 달했다. 1,000권을 채우려는 목표가 있었던 건 아니다. 소위 인류 최고의 지성들이 과연 무슨 이야기를 들려주고 싶었던 건지 궁금해서였다. 책 내용은 기억나는 것도 있고 잊혀진 것도 있다. 내 목표는 최대한 많이 읽는 거였다. 후기를 쓰지도 않았고, 누구와 토론을 하지도 않았다. 그냥 혼자 주야장천 읽었다. 마치 마약을 계속 주입하면 몸이 어떻게 변할지 궁금해서 하는 실험 같았다.

2010년 구글이 구텐베르크가 인쇄술을 발명한 이후로 세상의 모든 도서관에 있는 책의 수를 발표했다. 약 1억 3000만 권이다. 매년 세상에 나오는 책은 약 220만 권이라고 한다. 하루에 6,027권이 출간되는 셈이다. 내가 읽은 1,000권은 태평양에서 뜬 물 한 컵에 불과할 뿐이다.

하지만 1,000권의 책을 읽으며 나는 많은 생각을 했고, 적지 않은 깨달음을 얻었다. 그런 생각들을 누군가와 나누고 싶어 2018년부터 독서 모임을 시작했다. 지금은 그 모임을 포함해서 모두 세 개의 모임에 참여하고 있다. 그리고 이제 책을 쓰려고 한다. 제목은 '생계형 공과 남자의 인문학 공부'다. 인문학 책을 읽으며 정리한 나만의 생각과 공부법을 공유하고자 한다. 그 생각은 나는 누구(혹은 무엇)이며 어디서 왔고, 어디로 가는가에 대한 고민도 포함되어 있다. 또한 독서 모임의 운영 방법에 관한 생각도 나누고 싶다.

과학의 시대다. 그리고 자본주의 시대다. 모두들 정신없는 과학 기술 변화의 시기에 먹고사니즘으로 바쁘다. 세상의 트렌드에 따라가기도 바쁘다. 하지만 말을 타고 전속력으로 달리는 아메리칸 인디언이 잠시 멈추는 이유가 영혼이 따라오길 기다리기 위함 이듯이, 한 걸음 멈출 필요가 있다. 그리고 그 순간 필요한 것이 바로 인문학이다.

2023년 겨울의 문턱에서

정충영

차례

Chapter 1.
인문학 입문하기

도대체 인문학이란 무엇인가

중동, 북아프리카, 터키의 종교는 이슬람이다. 동남아의 인도네시아도 무슬림이 국민의 87%를 차지한다. 무슬림은 하루 다섯 번 사우디 메카를 향해 절을 하고, 부인을 네 명까지 둘 수 있다. 필자가 중동국가인 카타르에 파견 중, 한 산업 단지의 출입 절차를 진행 중이었을 때였다. 중동 국가에서 국가 기간 산업인 정유, 석유화학 공단의 경비는 삼엄하다.

갑자기 미나래 (이슬람 모스크의 탑)에서 기도 소리가 들리기 시작했다. 특유의 구슬픈 기도 소리에 귀기울이다 내 출입 서류를 심사하던 직원이 사라진 것을 깨달았을 때는 아마 채 3분도 지나지 않았다. 알고 보니 그는 기도하러 기도방으로 가버린 것이었다. 기도 시간은 발 씻는 시간 포함 최소 30분이다. 1시간이 걸릴 수도 있다. 공단내 업무가 급박했던 나는 그 상황이 황당했다. 산업단지 보안 업무보다 기도가 중요하다니… 하지만 오래 지낸 결과 그 나라에선 전혀 이상하지 않은 모습이란 걸 알았다. 이슬람 국가에서는 종교가 모든 일상의 우위를 점한다. 반면 인도의 종교는 힌두교다. 국민의 80%가 믿는다. 힌두교는 다신교로 약 3억 3천만 개의 신(神)이 있다. 다신교의 끝판왕이다. 일신교에 익숙한 우리에겐 이색적이다.

종교뿐 아니라 제스처 마저도 다양하다. 우리는 고개를 위아래로 흔드는 것이 긍정이지만 인도는 좌우로 흔드는 것이 Yes를 의미한다는 것은 이제 많은 사람들이 안다. 또 같은 제스처가 문화권에 따라서 완전히 다른 의미를 가지기도 한다. 엄지와 검지를 붙여 원을 만들고 손바닥을 위로 보이면 우리는 '돈'을 의미하는데 비해 남미에선 심한 모욕이 된다고 한다.

해외 영업을 하면서 세상을 돌아다니다 보니 인간 세상의 종교와 문화가 각양각색임을 깨달았다. 물론 아시아 권은 우리와 유사한 곳도 있지만 이해가 안 될 정도로 문화와 관습이 다르기도 하다. 다양한 사람들을 만나면서 생각했다. '도대체 어쩌다 지구라는 작은 행성의 주인이 인간이 되었을까? 더구나 왜 이리도 인간은 다양할까? 그리고 무슨 권리로 만물의 영장이라고 으스대며, 자연을 파괴하며, 자손을 계속 퍼트리며 돌아다닐까?'

불혹이 될 때까지 '생계해결'이 나의 목표였다면, 불혹을 지나면서 나의 화두는 '인간(人間)'이 되었다. 아버지가 돌아가신 해가 내 나이 마흔 중반, 불혹의 시기였다. 미혹되고 흔들림이 없어야 할 나이에 나는 내가 궁금해졌다. 필멸할 수밖에 없는 인간을 알고 싶어졌다. 생계형 공과 남자가 인문학에 빠진 이유는 그것이다. 오십이 넘은 이 시점에 하필 나를 빠져들게 한 '인문학'이란 도대체 무엇인가? 위키백과에서는 이렇게 정의한다.

> 인문학(人文學, 영어: humanities)은 인간과 인간의 근원 문제, 인간의 문화에 관심을 갖거나 인간의 가치와 인간만이 지닌 자기표현 능력을 바르게 이해하기 위한 과학적인 연구 방법에 관심을 갖는 학문 분야로서 인간의 사상과 문화에 관해 탐구하는 학문이다. 자연과학과 사회과학이 경험적인 접근을 주로 사용하는 것과는 달리, 분석적이고 비판적이며 사변적인 방법을 폭넓게 사용한다.
>
> 출처: 위키 백과

왠지 어렵다. 인문학은 왠지 '말장난'이라는 선입견도 도진다. (35년 동안 공과 남자로 살았다. 이해해달라.) 무언가를 이해하려면 그것을 어떻게 정의하느냐가 중요하다고 누군가 그랬다. 인문학은 한마디로 '인간'의 정신을 탐구하는 학문이다. 인간의 '육체'에 대해 연구하는 것은 의학이요 넓은 범위에서는 자연 과학이다. 공과 출신 즉, 공학인은 '기술'쟁이이다. (어떤 이는 '공돌이'라고 비하하기도 하는데 서로 상대의 자존심을 건드리지는 말자. 판사, 검사, 변호사 들이 법을 가지고 놀며 법망을 피해 가는 걸 '법꾸라지'라고 하면 기분 좋겠는가.) 공학인의 관심은 '과학을 응용하여 어떻게 하면 돈을 벌 수 있을까'이다. 그래서 순수 과학과는 다소 거리가 멀다. 물론 물리, 화학 등 순수 과학도 대학 1, 2 학년 때 교양으로 배우기는 했다.

나는 돌연변이 공학인이다. 생계형 공과인 현재 나의 관심은 '인간의 정신'이다. 나는 '인간의 본질'에 관심이 많다. 쓸데없는 질문들을 할 때가 있다. 무단횡단을 할 때면 나는 왜 죄책감이 들까? 석가모니는 왜 부와 권력의 궁을 떠나 가출했을까? 아돌프 히틀러의 나치가 2차 세계 대전을 이겼다면 세상은 어떻게 되었을까? 이런 질문들을 왜 학창 시절에는 하지 않았을까? 먹고 사는데 별반 도움이 안 되기 때문이다. 안타깝게도 그런 쓸데없지만 중요한 질문들이 40년 동안 미뤄졌다. 생계형 공과의 운명이다.

"우리 인간의 존재 이유는 무엇일까? 존재 의미는 무엇일까?" "우리는 어디서 와서 어디로 가는 것일까?" 우리는 나라는 존재, 그리고 우리의 삶, 나아가 세상에 대해 많은 궁금증을 품고 다양한 질문을 던지곤 한다. 혹은 "우리는 왜 예술과 철학에 매료되는 걸까? 먹고 사는데 전혀 도움이 안 되는 것인 데도 불구하고." 질문에 대한 답을 찾기 위해 우리는 인문학을 탐구한다. 인문학은 우리의 삶과 문화를 깊게 이해하며, 우리가 어떻게 사고하고, 느끼며, 행동하는지를 탐구하는 학문이라고 할 수 있다.

인문학은 과학과는 다른 관점을 제공한다. 과학은 세상을 관찰하고 실험을 통해 이해하려는 노력의 일환으로, 현상을 설명하고 예측하는 데 중점을 둔다. 그러나 인문학은 인간의 상상력, 문화, 역사, 그리고 도덕적 가치와 같은 복잡한 주제에 초점을 맞춘다.

인문학의 핵심 영역: 문학, 역사, 철학 (일명 문사철)

인문학은 다양한 학문 분야로 구성되어 있다. 이들은 인간의 경험과 사유를 다양한 각도에서 조명한다.

첫째, 문학은 감정과 상상력을 풍부하게 표현하며 우리에게 다른 시대와 문화로 여행할 수 있는 기회를 제공한다.

둘째, 역사학은 인류의 과거를 연구하여 현재를 이해하는 데 도움을 준다. 역사학자들은 과거 사건들의 영향을 추적하고 인류의 진화와 발전을 연구한다.

셋째, 철학은 인간의 존재와 인생의 의미에 대해 심층적으로 고찰하는 학문 분야다.

물론 다양한 종교 체계와 신화를 탐구하여 인간의 신념 체계와 종교적 경험을 연구하는 '종교학'도 있고, 언어의 기원과 구조, 의미론적 해석 등 언어와 관련된 다양한 주제를 다루며 언어의 역할을 분석하는 '언어학'도 있다. 그 외 과학과 인문학의 경계에 위치한 진화심리학, 문화인류학 등도 있다. 결론적으로 인문학은 인간의 정신과 삶을 깊게 이해하며 다양한 질문에 답을 찾는 학문 분야를 포괄한다.

인문학의 쓸모

젊었을 때 나는 자기 계발서만 읽었다. '~ 하는 법', '~의 법칙', '기적의~' 이런 류의 책들이다. 이 책들의 목적은 문제를 해결하고 나의 상황을 개선하는 것이다. 그러니 용도가 명확하다. 직장 다닐 때는 직장에서의 문제를 해결하고 성과를 내기 위한 책을 읽었다. '팀장이라면 어떻게 일해야 하는가' (김경준), '습관의 힘'(찰스 두히그) 이런 유의 자기 계발서를 읽었다. 그보다 더 많이 읽은 책은 재테크 관련 도서였다. '부자 아빠 가난한 아빠' (로버트 기요사키), '부자의 그릇' (이즈미 마사토), '부자가 되는 정리의 힘' (윤선현) 이런 책을 읽었다. 특히 20년 전 '부자 아빠 가난한 아빠'라는 책을 읽고서 당장 회사를 때려 치워야겠다는 생각이 불끈 들었던 기억이 난다. 다행히 그 생각이 실행으로 옮겨지지는 않았다.

쓸모가 명확한 자기계발서. 그럼 인문학! 도대체 이 녀석은 어디다 쓸 것인가? 우선 문사철의 큰 틀에서 생각해 보자.

문학의 쓸모

문학은 나를 다양한 등장인물과 캐릭터에 감정 이입하게 한다. 소설을 읽는 동안 나는 주인공이 된다. 그러면서 주인공이 맞닥뜨리는 사건을 체험하는 간접 경험을 한다. 마치 배우가 배역을 연기하면서 그 역할에 빙의 하는 것과 같다. 메소드 연기를 마친 배우는 한동안 그 감정의 늪에 빠져 헤어 나오지 못하는 경우가 있다고 한다. 배우가 다양한 배역을 하면서 다양한 감정을 느껴보듯이 여러 문학 작품을 읽을 때도 같은 효과를 얻을 수 있다. '도스토옙스키'의 '죄와 벌'을 읽으면서 나는 살인자의 감정과 느낌을 체험한다. '프란츠 카프카'의 '변신'을 읽으며 어느 아침 깨어나 보니 벌레가 되어 있는 나를 느껴본다. 소설 속에서 나의 상상력은 무한대로 확장한다. 특히 고전 문학을 읽을 때면 나는 마치 타임머신을 타고 그 시대로 돌아간 느낌을 가진다.

읽는 과정은 치유의 과정이 되기도 한다. 나는 '안톤 체호프'의 '정부 서기의 죽음'이라는 단편을 읽고 타인에게 과도하게 신경 쓰는 강박증을 치료했다. '가즈오 이시구로'의 '남아있는 나날'이라는 소설을 읽고 상사에 대한 맹목적 추종 습관을 버렸다.

하지만 뭐니 뭐니 해도 문학의 쓸모는 상상력을 키워준다는 점이다. 패턴화된 사고는 이제 인공지능을 따라갈 수 없게 되었다. 하지만 상상력과 창의력은 인간의 것이다. 혹자는 인공지능이 창의력도 발휘한다고 하지만 그것은 거대 언어 모델에서 생성되는 언어의 조합일 뿐이다. 결과 값이 창의적인가 아닌가 판단하는 것은 여전히 인간의 몫이다.

기술혁신이란 것도 상상력에서 나온다. 100년 전 어느 과학 소설가의 상상이 사실상 지금 거의 이루어졌다고 한다. 하늘을 나는 비행기, 바닷속을 누비는 잠수함, 달정복까지. 상상을 현실로 만드는 건 과학기술일지 모르나 애초에 상상을 불러일으켰던 것은 문학이었다. 한마디로 문학은 감성과 상상력의 훈련 교관이다.

역사학의 쓸모

역사는 교훈을 준다. 왜냐하면 계속 반복되기 때문이다. 2008년 서브프라임 모기지로 촉발되어 전 세계에 영향을 미친 금융위기는 1929년 세계 대공황과 닮았다. 제국의 붕괴도 모두 닮았다. 로마제국, 몽골 제국, 오스만튀르크 제국의 붕괴는 모두 지도층의 타락과 분열 그리고 외부세력의 위협에 기인하지 않았던가? 2020년 전 세계를 휩쓸고 지나간 COVID 19도 과거 전 유럽을 휩쓸었던 흑사병이나 스페인 독감 같은 바이러스와 세균의 창궐과 유사하다. 따라서 역사를 공부하면 미래가 보인다. 한 국가의 미래뿐 아니라 개인의 미래까지도.

나는 퇴직하기 전 먼저 퇴직하신 인생 선배들의 에세이를 많이 읽었다. 그 책들의 공통된 조언은 '머리보다는 가슴에 따르라'라는 것이었다. 인생은 한 번뿐이기에 경험자들의 조언을 따르면 시행착오를 줄일 수 있다. 메르스나 사스 같은 과거 전염병에서 시행착오를 거쳤기 때문에 우리나라가 COVID 19에 좀 더 현명하게 대처할 수 있었듯이, 개인도 마찬가지다. 역사에는 내 개인의 삶을 개선시킬 수 있는 유용한 교훈, 시사점 그리고 꿀 팁들이 무궁무진 하다.

아울러 역사는 인간 본성에 대한 통찰을 준다. '경로의 법칙'이란 것이 있다. 쿼티 자판은 훨씬 불편한 배열이지만 예전 타자기의 배열에 모두가 익숙하다는 이유로 컴퓨터 자판 배열이 되었다. 기차 궤도 폭도 과거 마차의 폭이 굳어진 것이다. 인간의 뇌는 에너지를 효율적으로 쓰려는 경향이 있기 때문에 한번 정해진 것은 잘 바꾸려고 하지 않는다. 이런 본성을 거꾸로 잘 이용해서 습관화시키면 성공의 비결이 될 수 있다.

철학의 쓸모

철학의 쓸모는 뭘까? '마이클 슈어'의 '더 좋은 삶을 위한 철학'에 이런 구절이 나온다.

아리스토텔레스가 주장한 '끊임없는 학습, 끊임없는 사고, 끊임없는 탐색'의 가장 좋은 점은 그것이 안겨주는 결과다. 성숙한 동시에 유연한 사람, 옛 것과 새 것을 모두 경험할 줄 아는 사람, 반복에 따른 익숙함이나 한물간 세상 정보에만 기대지 않는 사람

(중략)

출처: '더 좋은 삶을 위한 철학' (마이클 슈어 저), P53

나는 철학을 공부하는 이유가 단지 좋은 사람이 되기 위해서 만은 아니라고 본다. 한 번 뿐인 삶을 행복하게 살기 위해서는 중심이 잡힌 주체적인 인간이 될 필요가 있다. 철학은 나의 생각을 단련시키는데 특효약이다. 인간은 고민하고 갈등한다. 의사 결정을 내리지 못할 때도 있다. 특히 인간관계로 고민하는 사람들도 많다.

며칠 전 참석한 어느 강연의 중간 쉬는 시간에 수강생과 강사의 대화를 본의 아니게 듣게 된 적이 있다. 수강생은 중년의 아주머니였는데 질문은 이랬다. "애들과 소통이 안돼서 고민이네요. 강사님이 말씀하신 독서토론을 하면 효과가 좀 있을까요?" 강사님의 대답은 명쾌했다. 독서토론을 이렇게 해봐라 저렇게 해봐라가 아니었다. "애들과 꼭 소통하려고 하지 마세요. 그들은 그들만의 세계가 있어요. 더욱이 스무 살이 넘으면 성인이니까요." 발상 자체를 뒤엎는

강사님의 답에 다독, 다작, 다상량의 내공을 읽었다. 나는 철학이 뭐 대단한 것이 아니라고 생각한다. '나를 주변 세계에 휘둘리지 않게 하는 힘'이라고 나는 정의하고 싶다.

누구나 자기만의 인생관, 가치관이 있다. 다만 확고함의 수준이 다를 뿐이다. 법륜스님의 즉문즉설을 들으면 명쾌하고 시원하다. 생각이 분명하고 거침이 없다. 철학을 공부하면 역사적으로 많은 사상들이 존재했고 몇몇은 아직도 인류에게 깊은 영향을 주고 있음을 알 수 있다. 플라톤의 사상이 그렇고 니체의 사상이 그렇다. 하지만 더 중요한 것은 나의 현재 삶에서 실제 경험을 통해 구축한 나의 철학이다. 혹자는 '개똥철학'이라고 할지 모르겠으나 나는 개인의 중심을 잡아 주는 그 철학이야말로 쓸모가 있다고 생각한다.

자기 계발서가 비아그라라고 한다면 인문학, 즉 문학, 역사학, 철학은 녹용, 산삼이라고 할 수 있다. 당장 눈에 보이는 쓸모는 없어 보일지라도, 은근히 내 삶과 내 정신에 스며들어 나를 강하게 만들어 준다. 물론 인문학의 즉효적인 쓸모도 있다. 바로 '있어 보임'이다. 단순히 지식이 많아 보이는 것만 해도 훌륭하다. 하지만 인문학을 공부했다는 사람들의 공통점은 어떤 사안을 보는 통찰력과 다양한 관심사를 통합하는 통섭력, 그리고 세상을 이해하는 힘이 있어 보인다. '있어 보임'도 인문학의 쓸모이다.

엔지니어가 바라보는 인문학

'문과 침공'이란 말을 들어본 적이 있는가? 아래는 '문이과 통합이 불러온 인문계 학과의 위기'라는 제목의 최근 뉴스 기사다.

> 문·이과 통합 3년 차를 맞이한 올해 이과 학생의 문과 침공 현상이 가속화할 전망이다. 6월 1일 치러진 수능 모의평가에서 처음으로 과학탐구 선택자가 사회탐구 선택자를 역전한 만큼 상대적으로 표준점수가 낮은 사회탐구 응시생은 대입 선택지가 줄어들 가능성이 크다. 수능에서 과학탐구를 응시하는 비율은 매년 증가하는 추세다. 실제로 강남구의 한 고등학교는 2학년 학생 400여 명 중 지난 모의평가에서 사회탐구를 선택한 학생이 30명대 수준으로 떨어졌다. 이 중 운동부를 제외한다면 실질적으로 전교생이 이과라고 해도 무방하다. 지난 2022학년도 수능부터 문·이과가 통합돼 공식적으로 문과와 이과를 분류하고 있지는 않지만 통상 사회탐구 응시자를 문과, 과학탐구 응시자를 이과로 간주한다.
>
> 출처: 오마이 뉴스 "문 이과 통합이 불러온 인문계 학과의 위기", 23.6.26일자 기사

이과생들이 인문학 대학에 합격한 후, 등록만 하고 의대나 공대를 가고자 재수나 반수 (대학을 다니면서 수능을 다시 보는 것)를 하

는 경우가 많아지고 있다. 대학 인문학과들 입장에선 제대로 된 학생들을 채울 수 없고 이는 인문학과 존폐위기로까지 확대된다. 문과생들의 탈락을 막기 위한 가산점 제도도 실효를 거두기 힘들어 근본적인 대책이 필요하다고들 말한다.

이런 이슈는 사실 최근의 문제는 아니다. 1980년대 내가 다닌 고등학교는 전체 10개 반 중 6개 반이 이과였다. 아마 당시 다른 고등학교 들도 상황이 비슷하지 않았을까 싶다. 그런 경향이 심화되어 지금은 이과생들의 비율이 훨씬 높아진 상황이다. (강남구의 모 고등학교생들이 모두 이과라는 위 기사 참고) 여러 가지 이유가 있겠지만 가장 중요한 이유는 취업문제일게다. 그렇다. 과학 기술의 시대에 먹고 살려면 과학 기술을 전공해야 한다. 이건 옳고 그름의 문제가 아니다. 바로 시대가 그런 것이다. 취업시장에 적용된 수요공급의 법칙에 따른 자연스러운 현상이라고 생각한다.

하지만 인문학의 붕괴는 바람직하지 않다. 대학이 한낱 기술교육장으로 변모하고 있다. 대학이 학문과 진리의 전당이라는 말은 공염불이 되었다. 인문학은 뒷방 늙은이 취급받고 '문송합니다'('문과라서 죄송합니다'라는 우스개 소리)라는 말이 회자된다. 취업율로 학교를 판단하고 취업율만을 위해 학교는 노력한다. 그 결과는 과연 무엇인가? 철학 없는 리더들의 교언 영색이다. 사회적 이슈에 대한 담론의 소멸이다. 욕망하고 비교하고 과시하기 바쁜 속물적이고 단세포적인 자본주의의 내재화이다.

나는 전공을 활용하여 직장에서 10년간 엔지니어 생활을 했다. 내 주변에는 모두 공대 출신들 뿐이었다. 그들 중엔 뼛속 깊은 운명적 공과 남자도 있고, 나처럼 생계형 공과 남자들도 있었다. 물론 수는 적었지만 공과 여자도 있었다. 뼛속 깊은, '사골형' 공과들은 엔지니어로서 능력이 뛰어나다. 특히 주니어 시절에 그랬다. 그들은 수리계산이 빠르고, 분석적이다. 그래서 엔지니어링 실무에 두각을 나타낸다. 그런데 관리자로, 리더 포지션으로 올라가면서 사골형 공과들은 한계를 보인다. 왜냐하면 리더십은 인문학의 영역이기 때문이다. 물론 리더십이 없는 리더도 있다. Yes맨으로 상사의 충복이 되면 리더그룹으로 올라갈 수도 있다.

하지만 리더는 인문학 공부가 필요하다고 나는 생각한다. 팀장, 임원으로서 제대로 직원들을 설득하고, 독려하고 성과를 내기 위해서다. 인간에 대한 통찰은 리더의 덕목이다. 물론 선배들을 보고 배우거나 본인의 경험을 통해 터득할 수도 있다. 그러나 진정한 리더가 되려면 거인의 어깨에 올라타야 한다. 역사와 철학에서 다양한 리더십의 표상을 찾을 수 있다. 니체는 '위버멘쉬' 즉 '초인'을 이렇게 정의했다.

매순간 자기 자신의 삶을 부단히 극복하고
자신만의 새로운 가치를 창출하기 위해 결단을 내리는 존재

출처: '도덕의 계보학' (프리드리히 니체 저), 초인의 정의 @ 각주, P244

리더를 '초인'으로 정의할 수도 있겠다. 리더는 의사 결정하는 사람이다. 의사결정만큼 어려운 것은 없고 의사결정만큼 팀이나 조직의 운명을 좌우하는 것은 없다. 인문학을 도외시하는 리더는 결정의 순간에 결정적인 실기를 하기 쉽다.

애플의 스티브 잡스는 인문학에 관심이 많았고 아이패드 등 많은 애플의 제품들이 인문학과 기술의 교차로에 있다고 했다. 그래서인지 지금은 좀 잠잠하지만 한때 인문학 열풍이 불었다. 특히 기업체 오너나 CEO가 인문학 포럼을 참석하고 직원들에 인문학 책도 사서 돌리고 하는 것이 유행이었다. 주니어 엔지니어에게 인문학은 먼 바다 이야기겠지만 관리자나 리더 그룹에게 인문학은 바로 눈앞에 쏟아지는 나이아가라 폭포다. 심지어 자영업 사장님도 직원관리 제대로 하려면 인간에 대한 통찰이 필요하다. 내 가족 중에 한 명도 호프집 자영업을 했다. 뭐가 가장 힘드냐고 물었더니. 사람 관리, 즉 알바 관리가 제일 힘들다고 했다. 인간을 모르고 기업을 시

작할 수는 있지만 인간을 모르고 기업을 성공시킬 수는 없다.

엔지니어들은 보통 한 분야의 전문가가 되기를 원한다. 따라서 전문가가 되기도 바쁜데 인문학을 할 시간이 어디 있느냐고 반문할지도 모른다. 하지만 생계형 공과인 나는 엔지니어지만 세가지 이유로 인문학을 공부해야 한다고 생각한다.

첫째, 인문학은 민주시민의 교양이기 때문이다.

자유와 사익을 위한 방종의 차이를 구분하지 못하는 자는 존 스튜어트 밀의 '자유론'을 읽어 봐야 한다.

둘째, 리더가 될 수록 인문학은 필요하기 때문이다.

회사에서 직급이 올라갈수록 파트장, 팀장을 맡아 사람을 관리할 기회가 많아지고 여기서 필요한 것이 인문학이다.,

셋째, 은퇴한 인생 후반기에는 더더욱 필요하기 때문이다.

카르페 디엠, 아모르 파티, 그리고 메멘토 모리는 은퇴자에게 꼭 필요한 덕목이다. 인문학을 공부하고 내재화하지 않으면 존엄한 죽음을 대비할 수 없다.

해외영업맨이 바라보는 인문학

16년간 해외 영업에 종사했다. 해외 영업이든 국내 영업이든 영업은 역동적이다. 다시 말해 스트레스를 상당히 동반하는 직업이다. 고객들은 까다롭고, 난해하고, 변심한다. 그들의 마음을 헤아리고, 관심을 끌고, 구매 혹은 계약에 이르게 하는 것은 난공불락의 성을 공략하는 것과 비슷하다. 좀처럼 철문은 열리지 않는다.

정확하게 말해서 나의 해외 영업은 일반 상품 영업이 아닌 건설사 플랜트 영업이었다. 때문에 여러 전문 엔지니어들과의 조직적인 협업이 필수였다. 고객도 한 개인이 아닌 조직이었다. 건설업에서는 고객을 발주처 혹은 사업주라고 한다. 발주처 영업에서 가장 중요한 것은 핵심 의사 결정 라인을 파악하는 것이다. 계약에 가장 영향을 미칠 포지션과 인사가 누구 인지를 재빨리 그리고 정확하게 파악해야 한다. 사람과 조직을 읽는 능력이 중요해진다.

나의 해외 출장은 장거리 비행이 많았다. 예를 들어 인천에서 두바이는 약 10여 시간이 소요된다. 대부분의 비행 시간 동안 나는 출장 중 만날 인사와 어떤 얘기를 나눌지 토킹 포인트를 정리하고 미리 연습해본다. 영업 정보를 확보하기 위해 어떤 질문을 할지, 상대가 물어보면 어떻게 답할지를 미리 시뮬레이션 하는 것이다. 그렇게 준비해도 실지 미팅에서 내 맘대로 잘 안 되는 것이 고객이다. 때론 말도 안 되는 요구를 하기도 하고, 거의 계약에 임박했다고 자만하고 있는데 난데없는 돌발변수로 수포가 되기도 한다. 스트레스가 많아서 저녁엔 술로 풀 수 밖에 없었다.

중동 파견 중에 쿠웨이트의 어느 한인 게스트 하우스의 책꽂이에서 우연히 '장자 (莊子)'에 관한 책을 읽었다.

> "북쪽 바다에 큰 물고기가 있으니, 그 이름을 '곤(鯤)'이라고 한다. '곤'의 크기는 그 길이가 몇 천 리나 되는지 알 수가 없다. 곤이 변신하여 새가 되는데, 그 이름을 '붕(鵬)'이라 한다. '붕'의 등덜미는 그 길이가 몇 천 리인지 알 수가 없다. 온몸에 한껏 힘을 주고 하늘을 나는데, 활짝 펼친 날개가 마치 하늘에 드리운 구름 같다. 이 새는 바다가 크게 움직일 때 남쪽 바다로 날아가려 한다. 남쪽의 깊고 검푸른 바다는 '하늘 연못', 즉 천지(天池)이다."
>
> 출처 : 장자의 소요유 편

이 글은 '붕정만리(鵬程萬里)'라고 하는 장자의 유명한 글이다. 마침 본사의 미션을 수행하지 못해 스트레스와 낙담으로 좌절해 있을 때 이 글을 읽었다. 지리산 천왕봉에서 끝없이 펼쳐진 백두대간을 바라보는 기분일까? 비행기 창밖으로 석양에 물들어가는 운해를 바라보는 기분일까? 장자는 자연과 우주의 광대 무변함을 얘기한다. 반면 고객 한 명을 사로잡기 위해 온갖 잔머리를 짜내는 나란 존재는 그에 비해 얼마나 작은 존재인가? 무위 자연의 법칙이 있다. 운명을 바꾸려고 안달복달하지 마라. 그저 순리에 맡겨라. 장자의 가르침은 당시 온갖 업무 스트레스에 괴로워하던 내게 힐링이 되어 주었다.

인도의 구루인 '오쇼 라즈니쉬'는 장자를 연구하고 강의를 하기도 했다. 그의 책 '장자, 도를 말하다'에 이런 구절이 나온다.

> 장자는 말한다. 진정한 것, 신에 속한 것, 본래의 존재에 속한 것은 자기 자신을 완전히 잊어버릴 때만 이룰 수 있다고. 그것을 이루기 위한 노력조차 장애물이 된다고. 노력이 있을 때는 자기를 잊어버릴 수 없다. 그리고 자기를 잊기 위한 노력조차도 장애물이 된다.
>
> 출처: '장자 도를 말하다' (오쇼 저), P12

뭔가를 이루려면 노력을 해야 한다고 말한다. 하지만 내가 영업 그

것도 훨씬 치열한 해외영업을 해 보니, 노력이 정답이 아니었다. '승자의 저주' 케이스가 많다. 수주하고 계약할 때 잠깐 팡파르를 울렸을 뿐, 실행 후에 큰 적자로 끝나는 프로젝트도 많고 심지어 회사가 영향을 받아 휘청거리는 경우도 있다. 바로 덤핑 수주이다. 또한 실행 중에 어떤 공사원가 절감 아이디어는 회사에서 좋아하겠지만, 무리한 절감이 끝내 대형사고 발생으로 이어져 회사에 큰 타격을 주기도 한다.

해외 영업을 하면서 동남아, 중동, 유럽의 많은 고객들과 파트너를 만났다. 어떤 이태리 파트너사의 임원과는 'F' 가 들어간 욕을 하면서 일하기도 했다. 고객과 파트너를 어떻게 하면 이해시키고, 설득하고, 내 사람으로 만들지 늘 고민하고 노력했다. 영업과 마케팅은 가장 자본주의적인 활동이다.

오쇼는 말한다.

> 어떻게 사람을 개조시킬 수 있는가? 그 얼마나 큰 어리석음인가? 사람은 사물이 아니다. 사람은 너무도 크고 광활한 존재여서, 어떤 이론도 그보다 중요하지 않다.
>
> 출처: '삶의 길 흰 구름의 길 - 오쇼의 장자강의' (오쇼 저), P276

철학가나 사상가의 글을 읽다 보면, 나의 어리석음이 보인다. 노자의 '도덕경'에는 물처럼 사는 것이 가장 낫다고 했다. 물은 돌이 있으면 품고 비켜 지나간다. 고객을 바꿀 수 있다고, 파트너를 바꿀 수 있다고 맹목적으로 믿을 때 불행은 찾아온다. 온갖 마음의 상처와 스트레스로 삶은 지옥이 된다. 그 때 인문학 특히 노자와 장자는 물처럼, 구름처럼 살라고 가르친다.

통찰과 지혜가 넘쳐나는 인문학은 위로가 되고 치유가 된다. 오랫동안 해외 영업을 해온 내가 인문학에 매료된 이유이기도 하다.

공과남자의 인문학 즐기는 법

나에게 인문학은 공부의 대상이기도 하지만 즐기는 취미의 대상이기도 하다. 인문학 자격증을 따기 위한 것도 아니고, 인문학 시험을 치를 것도 아니고, 인문학을 연마해서 취직을 할 것도 아니다. 인문학은 순수하게 나의 지적 호기심과 지적 자부심을 만족시켜주는 작은 낙일 뿐이다. 나는 일종의 '딜레탕트 (dilettante)'라고 할 수 있다. 딜레탕트는 학문이나 예술에 대해 전문적으로 파고들지 않고 취미 삼아 즐기는 이들을 말한다. 프로 인문학러가 아니라 인문학 덕후라고 부를 수 있겠다. 사실 딜레탕트는 이것저것 아는 척하지만 제대로 아는 게 없는 비 전문가라는 부정적인 의미가 있지만 그래도 상관없다. 내가 인문학을 하는 이유는 전문가가 되기 위함 보다는 배움과 호기심을 만족시켜주고 기쁨을 얻는 것이 주된 목적이기 때문이다.

나의 인문학 즐기기는 5 단계로 이루어져 있다.

1단계, 관련 책을 사서 읽거나 빌려 읽는다.

미니멀리스트가 되고 싶은 나는 요즘 주로 책은 도서관에서 빌려 읽는다. 소장 욕구가 들면 나중에 구입하면 된다. 책 선정은 오로지 나의 순수한 호기심과 관심에 따른다. 가끔은 독서 토론의 목적으로 타 회원이 선정한 책을 빌리기도 한다. 이 경우 나의 관심 분야가 아니라서 별로 기대 없이 읽었는데도 불구하고 새로운 영감을 주는 책들이 있다. 이런 책들은 토론한 후 소장해야겠다는 생각이 들기도 한다. 6~7년 쯤 전엔 세계 고전 문학에 푹 빠지기도 했다. '안나 카레니나', '전쟁과 평화', '죄와 벌', '부활', '무기여 잘 있거라', '위대한 유산', '적과 흙', '오만과 편견', '마담 보바리', '고리오 영감' 등 누구나 들어봤지만 읽은 사람은 별로 없다는 책들을 읽었다. 출퇴근 시간이나 주말에 나는 200년 전 프랑스로, 러시아로, 미국으로 돌아다녔었다. 행복한 순간들이었다. 그때는 정말 죽을 때까지 문학 속에 빠져 사는 것도 나쁘지 않겠다는 생각이 들 정도였다.

역사서는 '로마인 이야기'(시오노 나나미),'거의 모든 것의 역사'(빌 브라이슨), '거의 모든 사생활의 역사' (빌 브라이슨), '벌거벗은 세계사' (tvN 제작팀), '한국 재벌 흑역사' (이완배), '나의 한국 현대사' (유시민), '거꾸로 읽는 세계사'(유시민), '역사의 쓸모'(최태성) 등 단순한 역사적 사실의 나열이 아닌 흥미롭고 독특한 관점으로 역사를 해석한 책들을 주로 골라 읽었다. 역사는 재미있다. 그래서 무엇보다도 역사책은 재미있어야 한다. 나는 역사에 대해 교양 플러스 알파 정도의 관심을 가지고 있다.

철학 관련 책은 '차라투스트라는 이렇게 말했다' (프리드리히 니체), '도덕의 계보학' (프리드리히 니체), '자유론'(존 스튜어트 밀), '예루살렘의 아이히만' (한나 아렌트), '정의란 무엇인가' (마이클 샌델), '철학은 어떻게 삶의 무기가 되는가' (야마구치 슈), '더 좋은 삶을 위한 철학' (마이클 슈어) 등 난해하지 않은 책 중심으로 읽었다. 나는 딜레탕트이기 때문에 너무 어렵고 난해한 책은 읽지 않는다. 어려운 책을 붙들고 있기에 인생은 너무 짧고 재미있는 책은 너무 많다.

2단계, 인문학 강연을 듣는다.

요즘은 동네 도서관과 인근 대학이 제휴하여 대학교수 혹은 강사들이 도서관에서 하는 강연도 많이 들을 수 있어서 너무 좋다. 마포구에선 서강 도서관과 마포 중앙 도서관이 이런 강연 프로그램을 많이 운영한다. 특히 서강 도서관의 '호모 부커스' 프로그램은 신청시간인 오전 9시 직후 1~2분 이내 순식간에 마감될 만큼 인기가 높다. 최근 로쟈 이현우 교수의 '참을 수 없는 존재의 가벼움' 강연도 몇시간 늦게 신청했더니 마감이 되어 땅을 치고 아쉬워했다. 요즘은 Zoom으로 하는 온라인 강연도 많다. 오프라인과 온라인을 병행한다든지 해서 좀 더 많은 주민들이 강연을 들을 수 있게 했으면 좋겠다. 그리고 나는 강연 스타일 보다는 쌍방향 소통이 가능한 북콘서트를 선호한다. 독서 토론 형태의 작가와의 만남이나 인문학 강연도 재미있다. 학교 수업 같은 일방적인 주입식 강연은 재미도 없고, 졸립기만 하다. 강사나 작가와 청중들간의 소통이 많은 강연들이 기획되었으면 하는 바램이 크다. 강연 말미의 Q&A 시간이 사실 매우 중요하다. 서로 질문과 대답이 오가고, 대화가 이어질 때 강연은 훨씬 더 입체적이고 풍성해 진다.

3단계, 독서 토론 모임을 한다.

나는 현재 독서 토론 모임을 세 개 참석하고 있다. 한 명씩 돌아가면서 책을 정하고 논제를 뽑고 진행을 하는 방식이다. 내가 호스팅할 때는 내가 좋아하는 인문학 책으로 진행한다. 관련 이야기는 챕터 2에서 하도록 하겠다.

4단계, 유튜브나 팟캐스트 듣기다.

과거에 인문학 강의를 들으려면 인문학 교수의 오프라인 강의를 들어야 했다. 하지만 지금은 유튜브로 어마어마하게 많은 강연들을 무료로 들을 수 있다. 교수들이나 전문 강사들의 동영상도 있지만, 아마추어 덕후가 전문가 뺨칠 정도로 작품을 잘 정리하여 소개하기도 한다. 내가 주로 보는 유튜브는 '알릴레오 북스' 다. 매주 인문학, 과학, 시사 등 다양한 분야의 깊이있는 서적으로 통상 2주에 걸쳐 토론을 하는 프로그램인데, 유시민 작가의 논리정연한 설명과 개성 있는 전문 게스트들의 이야기가 잘 버무려져 상당히 재미가 있다. 2023년 10월 시즌 4가 끝나고 현재 시즌 5를 기다리고 있다. 그리고 도서 관련 팟캐스트도 있다. 이 분야 원조인 이동진의 '빨간 책방' 외에도 다수의 팟캐스트가 책을 소개한다.

5단계, 기록하기와 글쓰기이다.

내가 보기엔 이 단계가 읽은 책을 내 것으로 체화 하는데 가장 중요하다. 내가 읽은 책의 상당수가 언제 읽었는지도 모를 정도로 잊혀져 버리기도 했다. 예전에 서점에서 '소유의 종말' (제레미 리프킨) 이란 책을 호기심에 구입했다. 그런데 집에 와서 보니 똑같은 책이 책꽂이에 버젓이 꽂혀 있는 것이 아닌가! 당황했다. 더 놀라운 사실은 꽂혀 있었던 책을 펼쳐 보니 분명히 내 필체의 글들이 책의 여백에 메모로 남아 있었던 것이다. 문장에 밑줄까지 그어져 있는 페이지도 꽤 되었다. 40대 건망증의 문제일 수도 있지만, 나는 휘리릭 읽고 줄긋고 메모는 했지만 그 내용을 충분히 소화하지 않고 시간을 흘려보낸 것이 망각의 주된 이유란 걸 알았다.

그래서 나는 '독서 다이어리'라는 앱을 깔아 거기에 인상 깊은 구절을 메모하거나 책 내용을 캡처해 놓는다. 내 독서 다이어리에는 읽을 예정이거나, 읽다 만 책을 제외하고 완독을 한 책 만도 1,000

권 이상이 올라가 있다. 망각의 부끄러움을 재연하지 않기 위해서 블로그에 독서 후기도 열심히 남기고 있다. 솔직히 맛집 후기나 영화 후기 보다 독서 후기가 몇 배 더 힘들다. 왜냐하면 책의 경우 스토리의 밀도가 훨씬 높아 요약하고 정리하는데 에너지가 더 많이 소요되기 때문이다.

책이 잘 안 읽힐 때는 멀리한다. 억지로 의무감에 하는 독서는 고역이다. 요즘은 노안이 왔는지 글자에 오래 집중하기가 힘들다. 오디오 북이 대안이 될 수 있겠지만 아무래도 나는 아날로그 세대인지라 책표지와 책장의 질감이나 향을 이길 수는 없다. 아이스 아메리카노 한잔 혹은 따뜻한 카푸치노 한잔하면서 책장을 집어 드는 순간만큼 행복한 시간은 없다.

과학과 인문학의 통합에 관하여

테이블에 손을 통과시킬 수 없는 이유가 뭘까? 정답은 전자끼리 서로 밀어내는 힘 (유식한 말로 '척력'. 하지만 왜 '끌어당기는 힘', '밀어내는 힘'이라는 좋은 우리말을 두고 '인력', '척력'이란 비 직관적인 한자어를 쓰는 것일까?) 때문이다. 학교 다닐 때는 궁금하지도 않았고, 물리 선생님도 가르쳐 주지 않았던 사실이다. 이 사실을 모른다고 내가 세상에 태어나서 겪은 어려움은 전혀 없었다. 이 내용은 '원더풀 사이언스' (나탈리 엔지어)라는 과학 교양서에 나온다.

생계형 공과 남자로서 먹고살기 바빴기 때문에 순수 과학으로서의 과학에는 흥미가 없었다. 하지만 10년 전부터 과학 교양서를 읽으며 과학이 얼마나 재미있는 학문인지 실감하고 있다. (다시 말하지만 공과생은 순수과학에 관심 없다. 우리는 과학지식으로 어떻게 돈을 벌 지를 고민하는 사람이다.)

과학의 재미에 빠뜨리는 멋진 책들이 많다. '코스모스' (칼 세이건), '이기적 유전자' (리처드 도킨스), '거의 모든 것의 역사' (빌 브라이슨), '원더풀 사이언스' (나탈리 엔지어), '엔드 오브 타임' (브라이언 그린), '부분과 전체' (베르너 하이젠베르크), '떨림과 울림' (김상욱),

'물리학자는 영화에서 과학을 본다' (정재승), '열두 발자국' (정재승), '금속의 세계' (김동환/배석), '화학연대기'(장홍제) 등. 나에게 과학의 즐거움을 안겨준 책들이다. 왜 어렸을 때는 이런 과학의 재미를 몰랐을까?

'원더풀 사이언스'에는 원자와 전자의 크기에 대한 내용이 나온다.

> 원자의 핵이 지구 중심에 놓여 있는 농구공이라면 전자는 지구 대기의 가장 바깥쪽을 도는 버찌 씨라고 할 수 있다. 그러나 이 농구 공과 버찌씨 사이에는 지구의 경우와는 달리 철이나 니켈, 마그마, 토양, 바다, 하늘처럼 실제 지구를 이루는 물질들이 전혀 없다. 농구공과 버찌씨 사이는 그저 텅 빈 공간일 뿐이다. 내부의 소우주도 바깥의 대우주도, 거대한 은하 사이도, 극미한 원자 사이도 모두 텅 비어 있다. 우리는 대부분 텅 빈 공간인 우주에 살고 있다.
>
> 출처: '원더풀 사이언스' (나탈리 엔지어 저), P151

위와 같은 단순한 물리적 사실을 알고 나면 뭔가 떠오르는 인문학의 글귀가 있지 않은가? 색즉시공(色卽是空), 공즉시색(空卽是色). 바로 불교 반야심경에서 물질과 공의 관계를 표현한 말이다. 2,600년 전, 석가모니는 물리를 배우지 않았을 텐데 어떻게 이러한 깨달음에 이르렀을까? 뭔가 억지라는 생각이 든다면 한번 찬찬히 따져 보자.

우리 몸을 피부, 세포, DNA, 분자, 원자, 핵과 전자로 마이크로 하게 파고 들어가면 어마어마한 텅 비어 있는 공간이 나온다. 한편 우리가 사물이 존재한다고 판단하는 것은 특정한 대상이 특정한 주파수의 빛을 반사하여 우리 눈, 즉 망막과 시신경을 통해 들어온 전기 신호를 뇌에서 인지하기 때문이다. 그러니 '색'은 '공'이고 '공'은 '색'이라는 교리는 십분 이해되지 않는가? 아무것도 없는 공간일 뿐인 사물의 빛이 곧 '색'인 것이다.

과학 공부를 하다 보면 인문학과 맞닿는 부분이 의외로 많아 깜짝 놀랄 때가 많다. 다음은 '엔드오브타임' (브라이언 그린)에 나오는 한 구절이다.

> 당신이 지금과 같은 기억, 믿음, 지식을 어디서 획득했는지 스스로 자문했을 때, 통계와 확률에 입각하여 냉정하게 내린 답은 다음과 같다. 당신의 두뇌는 텅 빈 공간을 떠돌던 입자들이 자발적으로 모여서 형성되었으며, 모든 기억과 신경심리학적 특성은 입자의 특별한 배열을 통해 생겨났다. 당신이라는 존재의 기원에 대한 당신의 설명은 감동적이지만 사실이

아니다. 당신의 지식과 믿음을 낳는 다양한 논리와 기억들은 모두 허구이며, 사실 당신에게는 과거라는 것이 없다. 당신은 결코 일어난 적이 없는 일에 대한 기억과 생각이 주입된 두뇌로 존재하는 것뿐이다.

출처 : '엔드 오브 타임' (브라이언 그린 저), P45

언뜻 나의 지식과 믿음을 낳는 논리와 기억들이 모두 허구라는 그린의 말이 납득이 어려울 수 있다. 행동 경제학의 창시자 대니얼 카너먼의 책, '생각에 관한 생각'에는 '경험 자아'와 '기억 자아' 이야기가 나온다. 결론부터 얘기하면 취향과 결정은 오로지 기억에서 나오는데 그 기억이란 것이 엉터리 일 수 있다는 것이다. 예를 들어 이혼한 부부에게 결혼 생활이 행복했냐고 물으면 '실패'라고 얘기할 것이 뻔하다. 하지만 결혼 30년 만에 파경을 맞았다고 할 경우에, 경험자아가 29년을 행복하게 경험했더라도 기억 자아가 마지막 1년간의 불행을 강하게 기억하고 있을 경우 30년 전체를 전적으로 불행했다고 말하게 되는 것이다.

취향과 결정은 기억에서 나오고, 기억은 엉터리 일 수 있다. 이 사실은 인간은 선호도가 일관되고 그것을 극대화하는 방법을 알고 있다는 합리적 행위자 모델의 기초가 되는 생각에 문제를 제기한다.

(중략)

우리는 고통과 쾌락을 경험하는 시간을 두고도 강한 선호도를 보인다. 고통은 짧고 쾌락은 길면 좋겠다. 하지만 시스템 1이 좌우하는 기억은 고통이나 쾌락이 가장 강렬했던 순간(정점)과 그것이 끝날 때의 느낌을 대표적으로 기억하도록 진화했다. 지속 시간을 무시하는 기억은 쾌락은 길고 고통은 짧았으면 하는 우리 바람을 들어주지 않을 것이다.

출처 : 생각에 관한 생각 (대니얼 카너먼 저), P563

인간은 스스로가 합리적이고 논리적으로 사고하고, 말하고, 행동한다고 믿고 있다. 하지만 사실이 아니다. 인간은 어떤 상황에서 고통과 쾌락의 여부나 비중에 따른 기분에 따라 무의식적으로 선호 입장을 정하고, 논리는 나중에 갖다 붙인다. 그리고 그것이 내 입장이 되고 주장이 된다. 자신의 머릿속에서 일어나는 기억과 사고 프로세스가 얼마나 취약한지 우리는 깨달아야 한다.

최근 생성형 인공지능인 ChatGPT가 얼마나 자연스럽게 그리고 똑똑하게 인간과 대화를 할 수 있는지 보라. 대화 프로그램인 ChatGPT는 대형 언어 모델 (Large Language Model)에 기반을 두고 있다. 즉, 수조개의 단어를 학습시키고 단어와 문장들의 확률 분포를 계산하게 했더니 인지과학과 언어학 측면에서 충격적인 결과가 나온 것이다. 문법을 알려 주지 않았는데 문법에 맞는 문장을 이야기하기 시작했다.

인간이 생각하는 방식도 마찬가지다. 우리가 무슨 말을 할지 생각할 때도 과거 기억되어 있는 단어들이 빛의 속도로 조합되고 논리가 가미되어 말을 하게 된다. 우리의 판단이라는 것도 그 시점의 몸 상태, 컨디션, 선호 취향에 따라 무의식중에 이루어지고 거기에 '왜냐하면'이라는 이유 접속사를 붙이는 것으로 표현된다는 것이다. 인간과 ChatGPT가 대화가 가능하다는 것은 둘의 사고 수준이 비슷하다는 것이다. 대학생과 세 살짜리 아기가 하는 대화는 내용면에 한계가 있지만, 같은 대학생끼리는 더 풍부한 대화를 나눌 수 있다. 수준이 비슷하기 때문이다.

과학과 인문학은 차이가 있다. 과학은 입증할 수 있는 '사실'에 기반하여 논증을 하는 학문이다. 하지만 인문학 즉, 철학, 역사, 문학은 입증하고 논증하는 학문이 아니라, 은유, 믿음, 신념에 관한 이야기이다. 물론 역사는 사실에 기반하고, 문학은 있을 법한 이야기를 하는 것이고, 철학도 논증을 하기 때문에 과학과 다르지 않다고 주장할 수 있다. 하지만 예를 들어 사실에 기초한 역사라고 하는 것은 허구이다. 역사적 사료와 증거를 분석하고 해석할 뿐이지 그 해석의 결과가 완전한 '진실'은 아니다. 우리는 그 역사의 시간과 현장에 없었기 때문에 100% 진실은 알 수 없다. 그것이 인문학의 한계다.

르네상스와 근대 계몽주의 시대를 거치면서 '인간의 이성'에 대한 무한 신뢰는 점점 깨지고 있다. 심지어 '이기적 유전자' (리처드 도킨스)와 같은 책에서와 같이 생존본능, 모성 본능, 이기심, 이타심 등을 과학적으로 증명하기 위한 많은 시도가 바야흐로 시작되고 있다. 향후 어떤 새로운 과학적 사실이 인문학적 믿음을 까부수고 재편할지는 알 수 없으나, 두 영역이 통합되는 날이 언제 가는 올 것으로 믿는다.

Chapter 2.
독서 모임으로 세상과 소통하기

나의 독서 모임 히스토리

나홀로 독서에서 벗어나 '독서 모임'에 참여하고 싶었던 시기는 2018년 여름이었던 걸로 기억한다. 그때까지 나는 약 500 여권의 책을 읽었고, 읽은 책에 관해 누군가와 이야기 하고픈 강렬한 열망을 느꼈다.

한동안 독서모임을 찾아보던 나는 '오픈 컬리지'라고 하는 온라인 플랫폼을 발견한다. '누구나 남들보다 잘하거나 많이 아는 뭔가 가 있으니 그걸 서로 나누면서 배우자'라는 취지로 만들어진 모임 플랫폼이었다. 최근 PC를 뒤지다가 우연히 나의 오픈 컬리지 온라인 가입 서류를 보고 웃음이 났다. 40대 후반의 중년 아저씨가 읽은 책에 대해 얘기 나눌 상대를 찾아 헤매는 모습이 떠올라서다. 오픈 컬리지는 사실상 젊은이들의 플랫폼이었다. 비싼 돈을 주고 강연을 듣거나 배우기 힘든, 대학생이나 직장 초년생들이 주로 활동하고 있었다.

자기소개

지금까지 남들과 같은 삶을 살기위해 발버둥 쳤다면 이제는 남들과 다른 나만의 삶을 살고 싶은 서울 마포구에 사는 중년의 직장인이랍니다. 독서를 좋아하고 새롭고 신선한 만남을 원합니다. 성공과 실패라는 프레임에서 벗어나 배움을 멈춘 자와 계속 배움을 이어가는 자로 구분되는 프레임으로 삶을 변화시키고 싶습니다.

지원동기

보유하던 차를 폐차하고 쏘카를 이용하기 시작했고, 동네 도서관에서 이웃의 손길이 맺힌 책들을 즐겨 찾습니다. 소유 보다는 공유를 추구하고 싶습니다. 회사일만 하다 보니 솔직히 할 줄 아는 것도 별루 없습니다.

하지만 받은 만큼 나누는 것이 오픈 컬리지의 덕이고 의미라고 한다면 미천한 지식이나 경험의 구슬을 잘 꿰어서 드리려고 노력하겠습니다. 일천하지만 10년간의 독서경험, 해외 영업과 마케팅을 통해 습득한 전투 영어 회화, 취미인 마라톤 관련 경험, 스피치 학원 다녔던 지식과 경험 그리고 직장관련 기획, 컨설팅, 처세, 자기계발관련 경험, 노하우, 현장 이야기, 그리고 매년 자비를 아끼지 않고 한번은 다녀온 국내외 여행 관련 정보, 경험 등이 나누고 싶은 것들입니다.

'나이는 숫자에 불과하다. (Age is just a number.)'라는 말을 믿으며 연령차별을 저주하는 나에게 오픈 컬리지의 모임들은 나에게 전혀 불편하지 않았다. 다음은 오픈 컬리지 시절 참여했던 독서 모임들이다. 신세계를 만난 듯, 환희에 떨며 미친 듯이 모임에 참석하고 새로운 모임을 만들던 기억이 난다.

TOM 자유 독서 모임

S가 진행하는 독서 모임이었다. S는 고시공부를 하시는 분이었는데 차분하게 모임을 운영했고 경청할 줄 아는 훌륭한 젊은이였다. 당시 회원수는 4~5명정도였고 장소는 역삼동 '오픈 컬리지 스페이스' 였다. 토론했던 책은 '낭만적 연애와 그 후의 일상' (알랭드 보통), '풍경과 상처' (김훈), '삼미 슈퍼스타즈의 마지막 팬클럽' (박완규) 등이었는데 김훈의 '풍경과 상처'는 글이 어려워 서로 동병상련을 느꼈던 기억이 난다. 저녁 7시에 만나는 모임이었는데 멤버들이 잦은 야근과 회식으로 시간이 흐를 수록 참석률이 낮아졌고, 나 또한 바쁜 회사 생활로 꾸준한 참석은 어려웠다. 그러다 모임이 흐지부지 되었던 것으로 기억한다.

썬데이 티타임

이 모임은 회원들이 매주 읽고 쓴 것을 온라인에 공유하고 일요일에 강남의 한 카페에 모여 그에 대해 이야기 나누는 모임이었다. 마치 파리의 쌀롱 같은 분위기랄까... 회원은 14명 정도 였는데 회장은 오전모임, 오후모임을 나눠 열정적으로 몇달간 모임을 진행했던 것으로 기억난다. Rick이라고 하는 분께서 읽은 기사와 쓴 글을 올릴 홈페이지를 운영했고, 이를 통해 소통하는 방식이 효율적이었다. 내가 블로그를 운영하며 글을 쓰기 시작한 것도 이 무렵이었다.

K가 주도한 독서 모임

K라고 하는 젠틀하고 차분한 친구와 강남 교대역 인근 스터디 카페에서 시작했던 독서 모임이다. 당시 6명이 멤버였고, 나 빼고는 모두 처녀, 총각이었는데 나중에는 강남이나 홍대에서 술도 마셨던 기억이 난다. '브람스를 좋아하세요' (프랑수아즈 사강),'82년생 김지영'(조남주), '사피엔스' (유발 하라리) 등의 책을 읽고 토론했다. 책 선정이나 모임 후 뒷풀이 분위기가 나이든 나와는 좀 맞지 않는 것 같아 시즌 1까지만 참여하고 탈퇴했다. 이후에 마곡에서 우연히 길을 가다 K를 만났고 반가움에 커피를 샀다. 모임 당시 백수였던 그는 중견기업에 입사하여 책 읽을 시간도 없이 바쁘게 살고 있었는데 좀 측은하다는 생각이 들었다.

비밀독토단 ('비토단')

내가 호스트로 멤버를 모집한 독서 클럽이었다. 모임명은 당시 tvN의 '비밀독서단'이라는 방송을 패러디했다. 장소는 오픈 컬리지의 보유 공간인 역삼동 오픈 스페이스였다. 모인 멤버는 4~5명이었는데 전부 젊은 직장인이었다. 때문에 저녁 야근이나 회식 때문에 참석을 못하는 멤버들이 많았다. 다룬 책은 '달과 6펜스' (서머싯 몸), '어떻게 살 것인가' (유시민), '나를 보내지마' (가즈오 이시구로), '이방인' (알베르 카뮈) 등이었는데 내가 주도한 모임이라, 내가 읽었거나 관심있는 책 중심으로 독서토론을 했기에 개인적으로는 만족했다.

오픈 컬리지에서 독서 모임을 여러 개 해 보니 다양한 문제점이 있었다. 준비된 논제 없이 감상평을 떠들다 보니 토론이 개인 잡담이나 수다로 끝나거나, 이야기가 삼천포로 빠질 때가 많았다. 또 회원들이 젊은 대학생이거나 직장인이라 저녁 시간에 빠지는 경우가 많았던 것도 애로사항이었다. 그 때 오픈 컬리지를 대신할 새로운 오아시스가 나타났다. 바로 동네 도서관이나 평생 학습관에 등록된 독서 모임이었다.

마포 평생 학습관 소속의 독서 모임

서교동의 한 카페에서 '눈먼 자들의 도시' (주제 사라마구)를 읽고 토론했던 기억이 난다. 나 말고 모두 중년 여성 분들이라 나잇대가 비슷해, 토론 분위기는 괜찮았다. 무슨 이유에서인지 토론 한 번으로 끝났다.

찐독 클럽

마포 중앙 도서관에서 '찐독 찐독 독서토론 리더 양성과정' 이라는 프로그램을 진행했다. S 강사님의 강연을 듣고 독서 토론 모임을 좀 더 체계적이고 알차게 운영 할 수 있는 비법을 배웠다. 특히 논제 작성법과 토론 진행 방법에 대한 가르침을 받았고 이를 적용하기 위해, 당시 수강생들을 회원으로 내가 주도해서 모임을 만들었는데 이름을 '찐독 클럽'이라고 지었다. 불행하게도 이 모임은 2020년 1월 말 '도리언 그레이의 초상' (오스카 와일드) 토론 후 중단하게 되었다. COVID 19 때문이었다.

책토민

2018년 9월 15일에 가입하여 가장 열심히 오랫동안 활동해 왔고, 역사도 오래된 독서 모임이다. (모임 창립은 2016년 8월) 모임명은 '책을 읽고 토론하는 민주주의'의 줄임말이고 영등포구 대림 도서관에 등록이 되어 있다. 토론 도서는 고전문학, 현대 문학, 철학, 경제, 에세이 등 다양하다. 책 뿐 아니라 영화 토론도 진행한다. 2023년 11월 말 현재까지 책 68권, 영화 25편을 다루었다. 내가 가입하던 무렵은 신촌의 스터디 카페인 '카페코이'에서 모임을 했고, 이후 '손기정 작은 도서관' 및 '대림 도서관'에서 월 1회 오프라인 모임으로 진행했다. 2020년 초 코로나가 발병하자 온라인 모임으로 전환했다. 현재 매월 첫째 화요일엔 영화, 셋째 화요일엔 책을 선정해, Zoom으로 만나는데 시간은 저녁 8시에서 10시까지 두 시간이다. 현재 회원수는 12명이며 매번 모임에 6~8명이 참석하는 건실한 모임이다. 논제를 뽑고, 모임을 진행하는 호스트를 매번 돌아가면서 한 사람씩 맡는다.

한책

마포 중앙 도서관에 등록되어 있는 독서 모임으로 월 1회 오프라인으로 만난다. 나는 2022년 8월 가입했다. 월 만원씩 회비를 모아 상반기와 하반기 1번씩 뮤지컬이나 영화를 보는 문화 행사를 진행한다. 지난 4월에는 마곡 LG아트센터에서 '파우스트'를 관람했다. 회원은 총 9명으로 통상 5~6명의 회원이 참석한다. 모임은 매월 마지막 넷째 주 일요일 오전 10시부터 12시까지이고 호스트가 논제를 준비하고 진행을 맡는다.

서강 목수다

서강도서관에 등록되어 있는 독서 모임으로 도서관 개관일인 2006년에 만들어졌으니 역사가 아주 오래된 모임이다. 만나면 정해진 도서를 낭독하고, 그날 정해진 책에 대해 토론한다. 논제는 따로 없고 자유 토론이다.

대림다방

대림 도서관에 등록된 또다른 독서 모임이다. 회원은 현재 13명이나 최근 참석자는 3~4명으로 참석률이 좀 저조한 편이다. 영화를 도서관에 모여 같이 관람하고 2주 후 동명의 책에 대해 오프라인으로 토론하는 방식인데, 최근에 한달에 한 번 책에 대해서만 토론하는 것으로 바뀠다. (동명의 영화까지 보고 참석하는 것은 개인 자유다.)

주경야독 36기 @숭례문학당

독서/글쓰기 관련 오프라인 공동체인 '숭례문학당' 소속의 유료 모임이다. (신청비는 100,000원) 출판사 편집자 출신 리더가 전문적으로 논제를 뽑아 토론을 진행하기 때문에 모임 운영이 체계적이고 효율적이다. 36기는 리더 제외 8명이 멤버였는데 내가 청일점이었다. 2주에 한번 토요일 오전에 남대문 근처 숭례문학당 강의실에서 모임을 가졌었다.

2018년부터 약 6년간 참여한 독서 모임 활동을 정리하니 감회가 새롭다. 여러 독서 모임에서 시행착오를 거쳐 축적된 독서 모임 노하우는 다음 장 부터 독자 여러분께 공유하고자 한다.

독서 모임 어디서 할까?

6년간 독서모임을 하면서 여러 장소를 이용해 보았다. 도서관 이야기 방, 스터디 카페, 일반 카페, 온라인 비대면 Zoom 등. 누구와 등산을 하느냐도 중요하지만 어디로 등산을 하느냐도 중요하다. 논제의 충실도, 모임 참여 인원 구성 등은 독서 토론의 만족도에 직접적 영향을 끼치지만, 주변 환경적인 부분 또한 간접적인 영향을 준다. 모임 장소의 종류뿐 아니라 세부적으로 테이블 배치, 의자나 소파의 편안한 정도, 소음 정도, 커피나 다과 여부, 조명, PPT 쇼 가능 여부, 전체적 분위기 등 많은 요소들이 모임의 분위기를 좌우하기도 한다. 여러 장소 별 특징이나 장, 단점에 대해서 이야기해 보고자 한다.

첫 번째로, '도서관 이야기 방'에 대해 살펴보자. 도서관은 학문, 특히 인문학을 추구하는 사람들의 성지라고 할 수 있다. 무수히 꽂혀 있는 다양한 주제의 책들이, 풍부한 지식을 서로 나눌 수 있는 곳이라는 분위기를 은연중에 제공한다. 그 중에서도 '이야기 방'은 소규모 모임에 딱 맞는 공간이다. 무엇보다도 주변의 조용함이 독서 모임의 집중력을 높여주는 장점으로 작용한다. 게다가 도서관 동아리 담당자와 협의하면 방은 대부분 무료로 제공받을 수 있다. 하지만 다소 스타일리시하거나 편안한 분위기를 원하는 참가자들에게는 비교적 단조롭고 형식적인 분위기가 단점으로 느껴질 수 있다. 현재 나의 모임 중, '한책'과 '대림다방'이 이에 해당하는데 '한책'의 경우 모임 후에 같이 점심을 먹고 차를 마시는 뒷풀이가 있다. 즉, 도서관에서의 딱딱한 분위기를 부드럽고 온화한 분위기로 갈아타는 것이다.

두 번째로 고려할 수 있는 장소는 '스터디 카페'다. 스터디 카페는 개인적인 학습뿐만 아니라 소그룹 모임에도 최적화된 공간이다. 자유롭게 의견을 나눌 수 있는 개방된 분위기와, 필요한 시설과 장비(프로젝터 등)를 제공하는 점은 큰 강점이다. 그러나 비용 문제와 특정 시간 내 예약 제한 등으로 인해 유동성이 부족하며, 때로는 다른 그룹의 소음으로 인해 집중력이 떨어질 수 있다. 2018년에 오픈컬리지 독서 모임을 주로 스터디 카페에서 진행했다. 카페 시설의 수준, 방 사이즈, 분위기, 테이블/의자의 노후 정도, 커피나 다과 제공 여부에 따라 만족도가 달라지니 모임 전에 사전 답사는 필수다.

세 번째로 생각해 볼 만한 장소는 '일반 카페'다. 커피 향 가득한 카페에서 책 한 권과 함께 토론하는 것은 매우 매력적일 것이다. 친근하고 자유로운 분위기가 창의적인 아이디어를 자극할 것으로 기대된다. 하지만, 외부 소음과 주변 이목 등으로 인해 집중력을 해칠 가능성도 있으며, 오랜 시간 사용하기 어렵다는 점 역시 고려해야 한다. '썬데이 타임즈'의 첫 모임을 카페에서 진행했었는데 카페가 너무 시끄러워 좀 곤혹스러웠고, 각자 음료를 주문/계산하면 음료 수준에 따라 모임 멤버간 약간 위화감이 발생할 수 있다. 만일 총무가 총액을 계산하고 1/N 하게 되면 총무일이 좀 귀찮아진다. 그리고 이 경우 모두 비싼 음료를 시킬 가능성이 있다는 문제가 있다.

마지막으로 온라인 비대면 Zoom을 이용하는 방법이 있다. 코로나19 팬데믹 이후로 비대면 활동이 활성화되면서, 온라인 플랫폼을 통한 독서 모임도 많이 진행되고 있다. 시간과 장소에 구애받지 않고 모일 수 있는 점, 다양한 기능(화면 공유 등)을 활용할 수 있는 점 등은 큰 장점이다. 하지만 실제로 만나서 이야기하는 것과는 다른 느낌으로, 간혹 대화의 흐름이 끊기거나 사람들 간의 감정적 연결이 약해질 수 있다. 나의 현재 주력 모임인 '책토민'이 처음에 스터디 카페, 도서관 이야기 방에서 오프라인으로 진행하다 코로나 때문에 현재는 Zoom으로 진행하는데, 온라인의 장점에 익숙해져 코로나 이후에도 계속 이 방식을 고수하고 있다. Zoom 모임시에는 모두 화면을 켜고 다른 일을 하지 않는 것이 예의다. 모임장은 이를 주지시키는 것이 좋고, 다만 회사 일 때문에 늦게 참여하거나 차안이나 거리에서 접속하여 참관하는 경우도 있는데 이는 자유롭게 허용해야 한다. 아울러 하울링 발생이나 노이즈가 유입되는 것을 방지하기 위해 발언이 끝나면 마이크를 끄는 것도 예의이다.

인문학 독서모임은 단순히 책을 읽는 것 이상의 가치를 지닌다. 서로 다른 생각과 경험을 공유하며 새로운 시각으로 세상을 바라보게 되는 그 순간, 우리는 인문학의 본질에 더 가까워진다. 따라서 독서모임의 장소 선택은 중요하다. 조용한 도서관에서 깊은 토론을 원한다면 '도서관 이야기 방', 자유롭게 의견 나누고 싶다면 '스터디카페', 아늑한 분위기에서 창의적인 아이디어를 공유하고 싶다면 '일반 카페', 시간과 장소에 구애받지 않으려 한다면 '온라인 Zoom' 등 여러가지 선택지가 있다. 정답은 없다. 멤버들의 의견을 충분히 반영해 최적의 장소를 정해 독서모임을 즐기면 된다. 그곳에서 만난 다양한 사람들과 함께, 우리 안에 숨어있던 인문학자를 깨우는 소중한 경험을 만들자.

독서 모임의 가치

책을 읽고 그 속에서 얻은 지식과 감동을 타인과 나누고 싶어하는 것은 자연스러운 일이다. 이런 자연스러운 욕구의 분출 통로가 바로 독서 토론이나 독서 모임이다. 책을 안 읽는 것 보다, 읽는 것이 낫고, 혼자 읽는 것보다는 함께 읽는 것이 낫다. 왜냐하면 함께 읽는 것은 더 깊이 있는 통찰력과 다양한 시각을 제공해 주기 때문이다. 그럼에도 불구하고, 독서 모임의 가치와 효과를 잘 모르는 사람들이 여전히 많다. 이 장에서 나는 '독서 모임의 효과'에 대해 함께 이야기해 보려 한다.

6년간 독서 모임에 참여하며 느낀 독서 모임의 효과를 10가지로 정리해 보았다.

첫째, 독서 모임은 참가자들 간에 깊이 있는 공감대를 형성하는 데 크게 기여한다. 책을 읽으면서 생긴 생각과 감정, 질문 등을 나눔으로써 서로의 이야기에 공감하고 깊은 인연을 맺게 된다. 이순자 님의 유고 에세이집 '예순살, 나는 또 깨꽃이 되어' 라는 책에 대해 토론을 했다. 노년으로 접어든 나이에도 불구, 수건 개는 일, 백화점 청소, 입주 전 새 건물 청소, 어린이집 조리사, 가정보육 도우미,

요양보호사, 장애활동 지원사 등 온갖 힘든 일 도맡아 했던 작가의 분투기에 대해 많은 회원들이 공감했고, 토론 서두에 모두가 이 책에 대해 좋은 평점을 매겼던 기억이 있다. ('책토민' 모임의 서두는 늘 읽은 책 느낌 및 평점 제시다.) 특히 중년멤버들이 많은 '책토민'에서 노년 작가의 글은 공감의 강도가 컸다. 짠한 가슴속에 힐링이 되었다. 공감은 서로 이야기를 나눔으로써 증폭된다.

둘째, 다른 시각과 관점의 멤버들로 인해 나만의 편견과 아집에서 벗어난다. 때로는 내가 전혀 생각하지 못했던 새로운 해석이나 관점이 제시되기도 한다. 최근 읽은 조선희 작가의 '세여자'란 장편소설에 대해 토론할 때였다. '허정숙'이 남자들을 뒷바라지 하는 '주세죽'의 비굴함을 비판하는 대목에서 갑자기 페미니즘이 논란이 되었는데, 내가 전혀 예상하지 못한 지점이었다. 여성분들이 특히 이런 이슈에 민감하다는 것을 깨달았다. 이런 토론을 할 때는 남자들이 늘 깨어 있어야 한다. 독서 모임은 개인의 자아성찰 능력도 강화시켜 준다. 다른 사람들의 생각과 견해를 들으며 자신의 생각도 반성하고 성찰하는 기회가 많아진다.

셋째, 타인의 생각과 내 생각을 통합하여 새로운 영감을 얻게 된다. 한 사람만의 관점보다 여러 사람들의 다양한 관점에서 바라본 세상은 결국 넓고 깊은 세상일 수밖에 없다. 뤼트허르 브레흐만의 '휴먼카인드'를 토론할 때 과거 토론했던 소설 '파리대왕'이 소환되었다. 인간의 '부족 본능'을 성악설로 풀어낸 '파리대왕'과, 성선설의 입장을 견지하는 '휴먼카인드'의 병치를 통해, '중용'의 관점으로 인간을 바라보는 통합이 이루어진다.

넷째, 다양한 장르의 책을 접할 수 있는 기회가 되어 책 선별의 편협함을 피할 수 있게 해준다. 독서 모임은 내가 평소 관심을 가지지 않을 법한 책이 타인에 의해 추천되어 토론이 진행 될 때 진정한 효과를 발휘한다. 에밀 졸라의 '인간 짐승' 같은 책은 독서 모임이 아니었다면 접하기 어려웠을 책이다. 이 책은 내게 인간 본질에 대한 깊은 통찰을 준 소중한 책이다. 에밀 졸라의 다른 책 '목로주점'도 읽어보고 싶은 생각이 들게 만들었다.

다섯째, 주제 도서 外 다른 관련 도서에 대한 정보를 공유한다. 같은 주제나 테마에 대해 더 깊이 이해하고 싶을 때, 멤버들의 추천도서는 큰 도움이 된다. 혹은 한 작가의 전작을 추천받아 모두 읽다 보면 그 작가에 대한 이해도가 훨씬 높아진다. 책 말고 영화를 추천받는 것도 좋다. 세상에는 내가 모르는 좋은 책을 아는 누군가가 많다.

여섯째, 상대를 설득하고 이해시키기 위한 소통 능력을 배양한다. 각자의 생각과 견해를 나누는 과정에서 자연스럽게 상대방을 설득하는 방법과 상대방의 의견에 귀 기울이는 방법 등 소통 능력에 대해 배울 수 있다. 특히 나는 독서 모임을 통해 경청하는 법을 배웠고, (경청은 인내심과 지적 능력을 필요로 한다.) 상대를 설득하기 위해 어떻게 말해야 하는 지를 배웠다. 또한 다른 멤버의 화법을 통해 타산지석으로 배우는 것들도 많다.

일곱째, 독서 모임은 참가자들의 사회성을 향상시킨다. 다양한 배경을 가진 사람들과 소통하며 서로의 이야기를 들으면서 인간관계를 형성하게 된다. 내가 참여하는 멤버들은 회사원, 주부, 학생, 은퇴자 등 다양한 계층이어서 각자의 관점도 다양하고 이야기도 풍부하다. 특히 젊은 세대들이 회원일 경우 그들의 생각과 마인드를 엿볼 수 있는 좋은 기회를 제공해 준다.

여덟째, 독서 모임은 책을 읽는 습관을 기르는데 도움이 된다. 일정한 주기로 모임이 진행되므로 책을 꾸준히 읽게 되고, 이는 건강한 생활 습관으로 이어질 수 있다. 마감 효과란게 있다. 독서 모임 전까지 책을 다 읽어야 말할 거리가 생기므로, 이는 건강한 스트레스를 준다. 모임의 주제 도서는 반드시 읽게 되고, 결국은 꾸준히 독서할 수 있는 힘을 길러준다.

아홉째, 독서 모임은 참가자들의 문화적 소양을 향상시켜준다. 다양한 주제와 장르의 책을 통해 넓은 지식과 문화적 감각을 얻게 된다. 최근 '방구석 미술관1,2'를 모두 읽고 토론했는데, 동서양 주요 화가들의 삶과 그들의 개성 있는 화풍까지 이해하게 되었다. 문화적 감각과 감성을 기르는 좋은 기회였다.

마지막으로, 독서 모임은 우리에게 새롭고 다양한 경험을 제공한다. 그 경험은 우리가 세상을 바라보는 방식에 영향을 주며 우리 자신도 성장시켜 준다. 독서뿐 아니라 뮤지컬, 영화, 연극 등 다양한 문화적 매체에 대한 관심을 증가시켜 준다. 이런 경험의 스펙트럼 확대는 나의 문화적 내공을 길러준다.

독서모임은 그 자체만으로도 가치를 지니고 있지만 그 이상으로 개개인에게 제공하는 혜택과 변화는 계산할 수 없이 크다. 다른 사람들과 함께 공부하고 토론함으로써 우리는 서로를 더 깊게 이해하며, 보다 넓고 깊은 시야와 관점에서 세상을 바라볼 수 있게 된다. 그러니 오늘 부터라도 가까운 독서 모임에 참여하여 새로운 경험과 변화를 만나 보자. 그곳에서 여러분은 아마 전혀 예상치 못했던 자신의 가능성과 성장을 만날 수 있다.

잘 되는 독서 모임의 비결

독서 모임에 참여하고 때로는 운영해 보며 다양한 경험을 했다. 어떤 모임은 한두 달 만에 해체되기도 했고, 어떤 모임은 6년 동안 꾸준히 유지되었다. 과연 잘 되는 독서 모임의 비결은 뭘 까? 여덟 가지로 요약해 본다.

첫째, 모임 회원들의 자발적 참여도가 높다.

잘 되는 독서 모임은 회원들이 자발적으로 참여하고 적극적으로 활동하는 특징을 가지고 있다. 회원들은 독서에 대한 열정과 관심을 공유하며 능동적으로 참여한다. 어떤 이벤트를 기획할 때도 함께 일을 분담해서 맡는다. 물론 무임승차자도 있다. 하지만 그 비율은 50%를 넘지 않는다. 모임이 잘 되기 위해서는 결국 한두 명이 희생해야 한다고 생각하는 사람이 있다. 나는 이 생각에 반대한다. 누군가가 처음에 자발적이고 이타적으로 희생하고 봉사하더라도 이런 상황이 계속 이어지는 것은 좋지 않다. 결국 일을 분담하든지 희생하는 회원에게 다소간의 금전적이든 비 금전적이든 보상을 해 주는 것이 좋다.

둘째, 모이는 일자와 시간이 정기적이다.

잘 되는 독서 모임은 일정한 주기로 정기모임을 개최하며, 회원들은 그 일정을 지키려고 노력한다. 그리고 예정된 일자와 시간에 지각없이 참석함으로써 원활한 진행과 의사소통을 유지할 수 있다. 물론 기상 상황이든 개인적인 사정이든 지각과 결석이 있을 수 있고, 인포멀 모임이기 때문에 이를 너무 철저하게 따지는 것 또한 좋지 않다. 회원들의 참석에 대한 자율은 일정 부분 허용하는 것이 심리적으로 편안함을 줘서 모임 참여에 더 긍정적일 수 있다. 하지만 너무 많은 회원들이 모임 일자나 시간을 무시할 경우 모임 자체가 와해될 위험이 있다. 만일 회비와 같은 강제 요인이 있다면 좋겠지만 회비 또한 금액의 다소를 떠나 회원들의 부담으로 작용할 수 있다.

셋째, 발제문을 준비하며 발제문의 내용을 중심으로 토론한다.

독서 모임에서는 각 회원이 사전에 주어진 주제나 도서에 대해 발제문을 준비하는 것이 좋다. 발제문은 해당 도서의 핵심 내용, 주제 및 해석 등에 대해 다룬다. 이러한 발제문 기반의 토론은 깊이 있는 의견 교류와 함께, 멤버들 사이에 인사이트를 나눌 수 있는 기회를 제공한다. 현재 나의 독서 모임 중 잘 되는 모임은 모두 돌아가면서 발제문을 준비하는 시스템을 가지고 있다. 아닌 모임의 경우 토론이 수다로 끝나거나, 논점이 흐려지거나 비약해서, 모임이 끝난 뒤 뿌듯함이 약할 때가 많다.

넷째, 모임의 역사가 깊고 역사에 대한 자부심이 있다.

잘 되는 독서 모임은 오랫동안 활동해온 역사가 있으며, 그 역사에 대한 자부심과 연속성을 가지고 있다. 이러한 점에서 멤버들은 서로 친밀감과 신뢰감을 형성하여 긍정적인 분위기 속에서 활동할 수 있게 된다. 하지만 멤버 구성이 오랜 기간 고정적인 것도 바람직하지 않다. 주기적으로 신규 회원을 영입하여 좀 더 새롭고 다양한 관점과 시각으로 논의가 채워지는 것이 좋다. 회원들이 너무 친해지면 토론의 흐름이 미리 예상되기도 하고, 식상해지기도 하고, 친한 회원 간 잡담이나 친목 도모 대화로 토론이 그칠 우려가 있다.

다섯째, 독서 목표를 설정하고 이를 달성하기 위한 계획을 세운다.

잘 되는 독서 모임은 연초나 분기 초에 읽을 책 목록 및 독서 계획을 잡는다. 그리고 가급적 그 목표를 달성하려고 노력한다. 최소한 3개월치의 토론 대상 도서는 사전에 정해져 있는 것이 좋다. 특히 직장인이 대부분인 모임일 경우 책을 미리 정해 놓지 않으면 모임 전에 회원들이 완독을 못할 가능성이 높다. 함께하는 목표 달성 과정에서 멤버들끼리 서로 격려하거나 조언하는 등 상호 작용하고 성장할 수 있는 기회가 마련되기도 한다. 그러기 위해서는 목표 수립의 과정 또한 충분히 민주적이어야 한다.

여섯째, 독서 모임의 조직과 회칙이 있다.

독서 모임이 도서관이나 지자체에 속해 있는 경우, 혹은 등록을 통한 지원을 받아야 할 경우 관련 업무를 해 줄 회장이나 총무 같은 포지션을 두는 것이 좋다. 그리고 회원들의 성실한 참여를 유도하기 위해 회칙을 정하는 것도 좋다. 물론 민주적인 방식으로 조직을 구성하고 의결을 할 필요가 있다. 단, 독서 일지의 기록은 순환제로 하는 것이 좋다.

일곱째, 다양한 도서 장르와 주제를 다룸으로써 회원들의 폭넓은 관심사를 고려한다.

만일 회원들이 중장년이라면 고전을 중심으로 다양한 인문학 영역의 도서를 선정하는 것이 좋다. 만일 젊은 회원들 중심이라면 최신 트렌드를 반영한 도서나 자기 계발서도 선정하는 것도 좋다. 회원들의 전반적인 성향을 고려하여 관심을 끌만한 장르와 주제의 도서가 선정되도록 하는 것이 좋다. 하지만 독서 모임에서 중요한 요소 중 하나는 다양성이다. 장르나 주제별로 다양한 종류의 책들이 선택되는 것이 회원들의 성장을 고려할 때 바람직하다.

여덟째, 적극적인 의사소통과 피드백 문화를 갖춘다.

독서모임 멤버 간 소속감 형성 및 활발한 의견이나 아이디어 교류를 위해 커뮤니케이션 플랫폼이 필요하다. 보통 카카오톡 단톡방이나 오픈 채팅방을 많이 활용하는데 이 외에도 밴드, 카페 등을 활용하면 좋다. 모임 후 식사나 티타임을 통한 소통도 좋다. 어떤 방식이든 회원 간 지속적인 커뮤니케이션이 활성화되는 것이 중요하다. 참고로 식사나 티타임은 매번 참석인원이 틀려지므로 1/N으로 하는 것이 좋다.

독서 모임의 성공 비결은 회원들의 자발적 참여, 정기적인 모임, 발제문을 통한 토론, 모임의 역사와 자부심, 독서 목표 설정과 계획 수립, 다양한 도서 장르와 주제 다루기, 그리고 적극적인 의사소통 및 피드백 문화 등이 중요하다. 무엇보다도 중요한 것은 회원들의 독서와 토론에 대한 열정이다. 2:8 파레토의 법칙이 있다. 사회의 20%가 80%를 통솔하고 움직인다. 가장 열정적인 멤버 20%가 열정 바이러스를 모든 회원에게 퍼뜨리는 것이 중요하다고 본다.

신박한 발제문(논제) 뽑는 법

독서 모임에서 가장 중요한 일은 토론 활동이고, 토론을 위해 가장 중요한 준비 사항은 발제문 혹은 논제 준비이다. 발제문은 '특정 주제에 대해 논의를 시작하거나 진행하기 위해 준비하는 문장이나 질문'을 말한다. 발제문은 일반적으로 토론, 세미나, 학술회의, 수업 등에서 사용되며, 해당 주제에 대한 개요를 제공하고 참가자들의 토론을 유도하는 역할을 한다.

발제문을 작성할 때는 목표로 하는 논의 주제를 분명히 하고, 이에 대한 기본적인 배경 정보와 중요한 사항들을 포함시켜야 한다. 또한 발제문은 다른 참가자들이 쉽게 이해하고 응답할 수 있도록 명확하고 간결하게 작성되어야 한다.

독서 모임에서는 책 자체나 그 안의 특정 주제에 대한 발제문을 준비한다. 이는 멤버들이 동일한 내용에 대해 공부하고 생각할 수 있는 기회를 제공함과 동시에 깊이 있는 토론을 가능케 하며, 각자가 책에서 얻은 인사이트를 공유하는데 활용될 수 있다. 좋은 발제문을 뽑기 위해서는 책을 체계적으로 읽고, 그 내용을 충실히 정리하는 능력이 필요하다. 독서모임에서 발제문 혹은 논제를 효과적으로 준비하는 자세한 방법에 대해 알아보겠다.

첫째, 책을 읽으면서 키워드를 적는다.

책을 읽으며 주요 개념이나 아이디어, 인상 깊은 구절 등을 키워드로 추출해 본다. 이렇게 하면 전체적인 내용의 흐름과 함께 중요한 부분들을 기억하기 쉬워진다.

둘째, 작가 프로필 사항들을 체크한다.

작가의 배경 정보와 그가 출간한 다른 작품들, 그의 사상이나 가치관 등도 조사해 보자. 이는 작가의 글마다 반영되므로 분석에 큰 도움이 된다.

셋째, 전체 개요나 줄거리를 200자 정도로 요약해 본다.

책의 목차, 전체적인 스토리라인, 주요 사건들, 결과 등을 간략하게 요약한다. 이 과정에서 내가 어떤 관점으로 책을 바라봤는지 명확히 알 수 있다.

넷째, 제목이나 책표지의 숨겨진 의미를 생각해 본다.

제목과 표지 디자인 역시 저자가 전달하고 싶은 메시지를 담고 있다. 그래서 때로는 제목만으로도 많은 것들을 파악할 수 있고, 제목과 표지 디자인과 관련하여 멤버들과 토론을 진행할 수도 있다.

다섯째, 문학작품의 경우 등장인물에 대해 정리한다.

등장인물 각각의 캐릭터, 인물 간 관계, 각각의 역할 등을 일목요연하게 정리하고, 각 등장인물에 대한 질문들을 모아 본다.

여섯째, 문학작품의 경우 배경과 주요 사건들을 정리한다.

역사적, 환경적, 지리적 배경을 나열한 후 각각의 배경과 환경이 등장인물과 사건에 어떤 영향을 미치는지 살펴본다. 그리고 주요한 사건들을 분석, 정리하고 각 사건에 대해 물을 수 있는 질문들을 나열한다.

일곱째, 나만의 관점 및 개인 경험을 정리해 본다.

독서 후 자신만의 견해나, 관련된 개인적 경험을 정리한다. 이를 통해 더욱 심도 있는 토론이 가능하며, 독창적인 관점을 제시할 수 있다.

여덟째, 논쟁의 여지가 있는 질문을 뽑아본다.

책의 내용 중 논쟁의 여지가 있는 부분에 대한 질문을 나열해 본다. 이는 토론을 활성화하는 좋은 방법이다. 통상 자기 계발서나 과학 서적은 사실이 명확하기 때문에 논쟁의 화두를 뽑기가 쉽지 않다. 반면, 인문학 특히 문학과 철학은 가치관, 윤리관에 따라 주장이 다양하게 그리고 논쟁적으로 표출되기 싶다. 독서 모임에서는 이런 주제가 풍부한 토론으로 이끌 수 있는 좋은 재료가 된다.

아홉째, 옮긴이의 글에서 논제를 추출해 본다.

옮긴이의 글 역시 중요한 분석 자료이다. 작가와 다른 시각으로 책을 바라본 옮긴이의 견해를 참고하여 새로운 시각으로 접근해 본다.

열 번째, 자유 주제와 선택 주제를 준비한다.

자유 논제는 특정한 논제에 대해 개인의 의견을 묻는 논제이며, 선택 논제는 '공감한다'와 '공감하기 어렵다'로 양대 진영을 구성하여 집단 토론을 유도할 수 있다. 2시간 독서 모임의 경우 자유 논제 4개 (각 15분), 선택 논제 2개 (각 25분) 정도가 적당하다.

다음은 샘플 논제이다. 도서명은 '도리언 그레이의 초상' (오스카 와일드) 이다.

도리언 그레이의 초상 (저자: 오스카 와일드) 독서 토론회 자료

(23.11.30)

1. 줄거리

완벽하게 아름다운 청년 도리언 그레이는 어느 날, 화가가 그려준 초상화를 통해 자신의 미모에 눈을 뜨게 되고, 이를 영원히 간직하고 싶다는 허황된 소망을 품는다. 그러나 허황된 것이라고만 여겼던 그의 소망이 이루어진다. 도리언 그레이는 세월이 흘러도 여전히 아름다운 젊음을 유지하고, 대신 초상화가 늙어가면서 더불어 그가 지은 죄의 흔적까지 모두 짊어지고 추하게 변해가는 것이다.

맨 처음 초상화의 변화를 감지하던 날, 도리언 그레이는 그림이 자신의 잘못을 뼈아프게 일깨워주는 '양심'이 될 거라 생각한다. 죄를 짓지 않고, 타락하지 않고 외모만큼 아름답게 살아가면 언젠가 초상화가 예전의 모습을 되찾으리라 믿는다. 그러나 혼자만 확인할 수 있는 양심은 힘이 없는 터. 그는 처음 결심과 달리 쾌락과 욕망에 빠져들고, 순수하고 아름다운 소년의 얼굴을 하고 살인까지 저지르는 등 돌이킬 수 없는 죄악의 길로 치닫게 되는데……. [출처: 인터넷 교보문고 제공]

2. 자유 논제 (1)

1) 소설 도리언 그레이의 초상은 오스카 와일드의 유일한 장편 소설로 평생 그가 추구했던 유미주의를 함축하고 있는 작품이라고 합니다. 여러분은 이 책을 어떻게 읽으셨나요?

별점 (1~5점)	☆☆☆☆☆
읽은 소감	

2) 책에서 인상 깊었던 장면, 상황이 있다면 소개해 주세요.

발췌 1 + 발췌이유 (P.)	
발췌 2 + 발췌이유 (P.)	

3. 자유 논제 (2)

1) 이 소설에서 도리언 그레이의 초상을 그린 화가 홀워드 (바질)의 친구인 헨리 워튼 경 (해리)은 도리언에게 많은 인생의 조언을 해 줍니다. 그 중에 하나는 주변사람들에게 주는 영향은 부도덕하고 나쁘다고 말합니다. 당신은 헨리의 철학에 대해서 어떻게 생각하십니까?

[P 35] "그레이씨, 좋은 영향이란 없어요. 모든 영향이란 부도덕한 겁니다. 과학적인 관점에서 보면 다 부도덕한 것이오" "이유가 뭐죠?" "어떤 사람에게 영향을 미친다는 것은 그 사람에게 자신의 영혼을 주는 것이오. 그렇게 되면 그 사람은 자신의 생각을 생각하는 게 아니고, 자신의 정열로 타오르는 게 아닌 겁니다. 그의 덕목도 그에게는 실감나게 다가오지도 않을 것이고, (중략) 그는 다른 누군가가 부르는 노래의 메아리가 될 뿐이고, 본디 자신이 맡아야 할 역할이 아닌 엉뚱한 역할을 하는 배우가 될 뿐이지요. 인생의 목적은 자기 발전이오. 자신의 본성을 완벽하게 실현시키는 것. 그것이 이곳에 있는 우리들의 존재 목적이지요. 요즘 사람들은 자기 자신을 두려워해요. (중략) 우리 인간이라는 족속에게는 용기가 사라진지 오래요. 어쩌면 애초부터 그런 게 없었는지도 모르지. 사회에 대한 두려움, 그것이 도덕이 근간이고 하느님에 대한 두려움, 그것이 종교의 비밀인데… 이 두가지가 우리를 지배하는 것인데, ~

2) 도리언 그레이는 자기 초상화에 소원을 빕니다. 즉, 자신은 영원히 젊은 상태로 있고, 그림이 늙어간다면! 하구요. 만일 소설처럼 소원이 이루어진다면 여러분도 도리언처럼 소망하고 싶은지요? (신이 다시 당신을 지금보다 젊은 시절로 돌아가게 해주겠다고 한다면 그렇게 하시겠습니까?)

[P 47, P145] "얼마나 슬픈 일인가!" 도리언 그레이가 자기 초상화에 시선을 고정시킨 채 나지막한 소리로 말했다. "얼마나 슬픈가! 나는 늙어 무섭고 흉측한 모습으로 변하겠지. 그런데 이 그림은 항상 젊은 상태를 남을 것이 아닌가. 6월의 오늘보다 더 늙지 않을게 분명한데…. 거꾸로 된다면 얼마나 좋을까! 나는 영원히 젊은 상태로 있고, 그림이 늙어 간다면! 그걸 위해서라면 - 그럴 수만 있다면 - 무엇이든 다 줄텐데! 내 영혼이라도 내줄 용의가 있는데!"

3) 당신의 결혼제도와 관련한 해리의 논리에 대해 어떻게 생각하시나요?

[P 121] "(중략) 너도 알지만 난 결혼 제도를 옹호하는 사람이 아니야. 결혼의 현실적인 결점이 뭔고하니 그게 사람을 이기적인 아닌 사람으로 만든다는 거야. 그런데 이기적인지 않은 사람은 색깔이 없거든. 개성이 없다는 말이야. 물론 결혼을 하면서 더 복잡해지는 기질을 지닌 사람들도 있기는 해. 그럼 사람들은 자신의 이기심을 그대로 유지하면서 거기에 다른 많은 자아들을 더하게 되지. 그래서 어쩔 수 없이 여러 삶을 살게 되고, 점점 더 고도로 조직적이고 유기적인 사람이 되는 거야. 고도로 조직적이 된다는 것이 내 생각에는 인간 존재의 목적이 아닌가 싶어. 더 덧붙이자면, 모든 경험은 다 나름의 가치를 지니고 있다는 거야. 누가 결혼에 반대하는 말을 했다면 그 말이 무슨 말이든 그것 자체가 하나의 경험이지. 나는 도리언 그레이가 그 여자를 자기 아내로 삼아 6개월 정도는 그녀를 열정적으로 사랑하다가 갑자기 또 다른 사람에게 푹 빠져 버리게 되기를 바라. 그러면 그 친구는 아주 훌륭한 본보기가 될거야"

4) 도리언 그레이는 시빌베인이라는 가난한 여배우에 사랑에 빠진다. 그러나 그녀가 사랑에 빠지면서 오히려 연극의 허상을 깨닫고 도리언과 그의 지인들이 관객으로 참석한 로미오와 줄리엣 연기를 망친다. 도리언은 시빌베인을 찾아가서 아래 발췌문과 같은 반응을 보이는데 당신은 이 장면에서 무엇을 느꼈나요?

[P 138~141] 그는 어깨를 움츠렸다. "당신 아픈거야. 아플 땐 연기를 하지 말아야지. 괜히 웃음거리만 되고 말이야. (중략)
그는 그녀를 밀어내며 소리쳤다. "만지지 마!"

5) 도리언이 스스로 성장했다고 말하는 장면이다. 도리언의 성장을 어떻게 바라보시나요?

[P 175] "저도 손으로 직접 만질 수 있고 다룰 수 있는 아름다운 물건들을 좋아해요. (중략)헤리가 말하는 대로 자신의 삶을 지켜보는 관객이 되는 것이 삶의 고통을 피하는 방법이거든요. 이런식으로 말하는 저를 보고 놀라셨을 겁니다. 제가 얼마나 성장했는지 모르실거예요. 당신이 저를 알았을 때 저는 학생이었지요. 하지만 지금 저는 성인이 되었습니다. 그때와는 달리 새로운 열정과 새로운 생각과 새로운 아이디어를 지니게 되었지요. 전 달라졌어요. "

4. 선택 논제

1) 헨리경은 도리언에게 다음과 같은 조언을 합니다. 즉 "사람이 누구에게 친절하거나 다정하다는 건, 그 사람에게 관심이 없다는 뜻이거든" 이라고. 당신은 헨리경의 말에 동의하시나요?

[P 158] "도리언" 헨리경이 담뱃갑에서 담배 한 개비를 빼들고 금을 입힌 금속 성냥갑을 꺼내며 대답했다. "여자가 남자를 바꿀 수 있는 유일한 방법은 남자를 아주 따분하게 만들어 삶에 대한 모든 흥미를 잃게 만드는 거야. 자네가 이 아가씨와 결혼했다면 자네 삶은 엉망진창이 되었을 걸세. 물론 자네라면 그녀에게 아주 다정하게 대해 주었을 테지. 사람이 누구에게 친절하다 함은 그 사람에게 별로 관심이 없다는 뜻이거든. 아마 그녀도 자네가 자기한테 전혀 아무런 관심도 없다는 사실을 알아냈을 걸세. 여자가 자기 남편에게서 그런 점을 발견하게 되면 여자는 아주 역겨울 정도로 촌스러운 여자가 되는지 아니면 다른 여자의 남편이 사준 예쁜 보닛 모자를 쓰고 다니든지, 둘 중 하나가 돼. 내가 무슨 사회적인 오해에 대해서 얘기하는 것은 아니네. 그건 야비한 짓이고 당연히 나도 받아 들이지 않아. 하지만 분명한 것은 어느 쪽이 되었든 모든 것이 완전한 실패로 끝나고 말 거라는 점이지"

① 동의한다.

② 동의하지 않는다.

2) 심장도 없고 연민의 정도 없는 냉혈한, 무정한 사람 (?) 이 된 도리언. 그는 자기 자신의 주인이 되는 사람이야말로 슬픔을 쉽게 이겨낸다고 주장합니다. 공감하십니까?

> [P 172] "그럼 실제로 시간이 경과했는데, 과거가 아니고 뭡니까? 어리석고 천박한 사람들만이 어느 한 감정을 지우는데 몇 년 세월이 걸린다고 주장하는 겁니다. 자기 자신의 주인이 되는 사람은 쉽게 쾌락을 만들어 내듯 쉽게 슬픔을 끝낼 수가 있지요. 저는 제 감정에 좌우되고 싶지 않아요. 오히려 그 감정을 이용하고 즐기고 지배하고 싶다고요."

① 공감한다.

② 공감하지 않는다.

3) 얼굴에 죄가 드러난다는 말… 40세 이후는 얼굴에 책임을 져야 한다는 말과 맥을 같이 한다고 보여지는데요. 당신은 이 말에 공감하는지요?

> [P 234] 적어도 자네를 만나면 그런 말을 믿을 수가 없단 말이야. 죄는 사람얼굴에 제 스스로 드러나. 감출수가 없지. 그래서 사람들은 때로 은밀한 악에 대해서 얘기하지만 그런 것은 없어. 어떤 비열한 자가 악을 지니고 있다면 그게 그 사람 입 주변의 선이나 축 늘어진 눈꺼풀, 아니면 손 모양에서 다 드러나게 마련이야. …

① 공감한다.

② 공감하지 않는다.

5. 심화 논제

1) [P294] 신학자들이 우리에게 지칠 줄 모르고 우리에게 상기시키듯 조라는 것이 본디 불복종의 죄가 아니던가. 그 고매한 정신, 사악한 아침별인 사탄이 천상에서 추방될 때 그것은 바로 반항자로 추방된 것이기 때문이다. 이 대목에 대한 당신의 느낌은?

2) [P309] 사실의 세계에서는 사악한 자들이 처벌을 받는 것도 아니고 그렇다고 선한 자들이 보상을 받는 것도 아니었다. 성공은 강자에게 주어지고 실패는 약자에게 던져지는 것, 이것이 전부였다. 이 대목에 대한 당신의 느낌은?

6. 기억에 남는 한마디 혹은 토론 소감

독서 모임에서 발제문 혹은 논제를 준비하는 것은 쉽지 않은 일이다. 하지만 잘 준비된 발제문은 모임에 생기를 불어넣고 멤버들 사이에서 의미 있는 대화를 이끌어낸다. 위에서 제안한 방법들을 활용하여 체계적으로 책을 읽고 분석하는 습관을 기르면, 멤버들 앞에서 자신감 넘치게 모임을 진행할 수 있을 것이다.

작가와 소통하기

도서관 프로그램을 통해서 작가들의 강연이나 북토크를 많이 접했다. 기억나는 작가만 해도, 김영하 작가, 김상욱 교수, 유현준 교수, 김경일 교수, 강원국 작가, 법륜 스님, 윤광준 작가, 유홍준 교수, 서민 교수, 김민섭 작가, 엄기호 작가, 이현우 작가, 김혼비 작가, 오찬호 작가, 정지아 작가, 박태웅 소장 등, 돌아보니 참 많이도 만나려고 애썼던 것 같다.

작가들은 모두 달변이었고, 청중을 휘어잡는 카리스마가 있었다. 책을 읽으면서 느꼈던 이미지와 비슷한 분들도 있었고, 느낌이 약간 달랐던 분도 있었다. 모두 개성이 강했고 훌륭한 지성을 소유한 분들이었다.

작가와의 만남, 작가와의 소통은 읽은 책을 입체적이고 풍부하게 이해하는데 도움을 준다. 마치 작품의 심장소리를 직접 듣는 거라고나 할까? 그동안 꾸준히 만난 작가들과의 소통이 나의 독서 생활에 어떤 도움을 주었는지 공유하고자 한다.

첫째, 작가의 설명을 직접 들음으로써 책에 담긴 복잡한 개념들이 명확해지기도 한다. '박태웅의 AI 강의' 저자 박태웅 한빛 미디어 이사회 의장의 강연을 통해 ChatGPT와 인공지능의 개념과 한계에 대해 분명히 이해하게 되었다.

둘째, 질문 기회를 포함한, 작가와 독자 사이의 교류는 글쓰기에 있어 중요한 역할을 한다. '대통령의 글쓰기' 저자 강원국 작가에게 ChatGPT 시대에 어떻게 대응해야 될지, 필사가 글쓰기에 도움이 되는지 등을 물었는데 유용한 답변을 얻었던 기억이 있다.

셋째, 창작 과정에 대한 통찰은 자신만의 글쓰기 실력 향상에 도움이 된다. '살인자의 기억법'의 저자이자 '알쓸신잡' 고정 출연자였던 김영하 작가로부터 창작에 관한 많은 팁을 들었다. 오랜 작가 생활을 해서인지 훌륭한 통찰을 갖고 계셨다.

넷째, 북토크나 강연에서 배경지식 등 추가 정보를 얻음으로써 보다 폭넓게 생각하게 되고 이해도 역시 깊어진다. '아버지의 해방일지'를 쓴 정지아 작가와 온라인 북토크를 하면서 소설이 쓰인 배경과 등장인물에 대한 이야기 등 뒷얘기를 많이 들을 수 있어서 책에 대한 감동이 배가 되었다.

다섯째, 다른 독자들의 질문과 작가의 답변을 들으면서 새로운 해석이나 시각을 얻게 된다. 강원국 작가와의 북토크 시간에는 질의응답 시간이 길었는데 최근 시 공모전 출품작이 급증했다는 사실과 그 이유가 ChatGPT 때문이라는 새로운 소식을 들었다. 글쓰기와 관련한 특이점이 도래한 것이 아닐까 하는 생각을 하게 되었다.

여섯째, 같은 책을 읽은 사람들과 함께하는 시간 동안 소속감이나 공동체 의식 등의 감정을 경험하게 된다. '스님의 주례사'를 쓴 법륜 스님과 북토크때 개인적 고민을 이야기하는 모든 이들이 같은 법문을 듣는 불자가 된 기분이었다. 개인의 고민이 모두의 고민이 되고 스님의 즉문즉설이 마치 내 고민을 해결해 준 것 같은 좋은 일체감이 들었던` 기억이 있다.

일곱 번째, 작가와 대화하면서 나오는 인사이트는 개인적인 학습 혹은 성장에 활용 가능하다. 여의도 국회 의사당 별관에서 진행되었던 김상욱 교수와 유현준 교수의 대담 토크쇼때는 두 분의 티키타카 속에 과학이나 건축에 관련된 많은 인사이트를 얻을 수 있었다.

여덟 번째, 작가와의 대화나 강연에서 나오는 아이디어에서 영감을 받아 자신만의 창작물 제작 등에 활용할 수 있다. '아무튼 술'의 김혼비 작가와 북토크를 마친 후, 나도 유머가 있는 짧은 글을 써보면 어떨까 하는 영감을 얻었다. 하지만 유머감각이 없어 쉽진 않을 것 같다.

마지막으로, 북토크나 강연에서 만난 사람들과 네트워크를 구축함으로써 개인적인 연결망을 확장할 수도 있다. 숭례문학당에서 독서모임을 운영하는 강사님의 강연이 끝난 후 참석자들과 후속 독서모임을 운영한 적도 있다. 코로나 때문에 지속되진 않았지만, 강연 후 관심사가 같은 회원들끼리 뭉치는 것은 매우 자연스럽고 가치가 있다.

'작가와의 대화와 소통하기'라는 경험이 주는 가치는 작지 않다. 책을 통해 우리가 얻을 수 있는 지식과 감동을 한 단계 더 끌어올려준다. 즉, 책을 더욱 풍성하게 들여다보고, 작가의 생각을 더 깊이 이해하며, 다양한 사람들과 만날 기회까지 얻는다. 그리고 무엇보다도, 나만의 글을 작성하는데 필요한 영감을 얻을 수 있고 독서에 대한 새로운 열정을 불러일으킬 수도 있다.

Chapter 3.
궁극의 깨달음을 위한 독서

직장생활과 독서광

26년간 직장 생활을 하면서 읽은 책은 크게 네 부류로 나뉜다. 업무 능력 향상을 위한 책, 인간관계와 관련한 책, 재테크와 관련한 책, 그리고 경제와 관련한 책이다. 나는 이 모든 책을 '자기 계발서'라고 통칭하고자 한다. 이 네 부류와 관련해서 내가 읽은 주요 책 목록은 아래와 같다.

업무 능력 향상을 위한 책

성공하는 사람들의 7가지 습관 (스티븐 코비)

아웃 라이어 (말콤 글래드웰)

거만한 놈들이 세상을 바꾼다. (존 엘리엇)

넛지 (리처드 탈러)

스타 퍼포머가 되는 9가지 법칙 (로버트 E 켈리)

상사를 해고하라 (스테판 M 폴란 등)

시골의사의 자기혁명 (박경철)

구글은 어떻게 일하는가 (에릭 슈미트 등)

인간관계와 관련한 책

협상의 법칙 (허브 코헨)

설득의 심리학 (로버트 치알디니)

아부의 기술 (리처드 스텐걸)

유혹의 기술 (로버트 그린)

스눕 (상대를 꿰뚫어 보는 힘)

혼자 밥 먹지 마라 (키이스 페라지 등)

리더십이란 무엇인가 (란 류)

사람에게서 구하라 (구본형)

재테크와 관련한 책

부자 아빠 가난한 아빠 (로버트 기요사키)

나의 꿈 10억 만들기 (김대중)

한국의 부자들 (한상복)

3000만 원으로 시작하는 부동산 투자 101가지 (윤재호)

선물 옵션 투자자가 가장 알고 싶은 101가지 (최규찬)

빌딩 부자들 (성선화)

부동산 투자는 과학이다. (고종완)

실전 부동산 경매 입문 (전철)

경제와 관련한 책

화폐전쟁 (쑹훙빙)

나는 세계 일주로 경제를 배웠다. (코너 우드먼)

나쁜 사마리아인들 (장하준)

경제기사는 돈이다 (강형문, 송양민)

베이징 특파원 중국 경제를 말하다 (홍순도 외)

경제기사는 돈이다 (강형문 등)

아하 경제가 보이네 (박주헌)

시골의사의 부자경제학 (박경철)

내가 직장 초년병 시절부터 과장 때까지, 즉 15년 정도는 읽은 책의 90%가 위 네가지 카테고리의 자기 계발서였다. 내 독서는 내 욕망의 표현이다. 나는 승진과 부(富)의 경쟁에서 이기고 싶었다. 업무능력과 인간관계는 직장에서의 성공을 보장해 줄 것이라는 믿음이 있었고, 재테크 기술과 경제에 대한 이해는 나를 부자로 만들어 줄 것이라는 믿음이 있었다. 회사도 나의 승진과 부의 축적에 도움을 주기 위해 여러 교육과정을 운영했다. 오프라인 강의도 있었고 온라인 강의도 있었다. 무료로 자기 계발서 책을 보내주고 읽은 후 시험을 보는 프로그램도 있었다. 위 도서의 30%는 회사에서 받은 책이고, 나머지 70%는 내돈 내산이다. 나는 출퇴근 전철에서, 퇴근 후에, 그리고 주말에 참 열심히 책을 읽고, 메모했다.

하지만 점점 지쳐갔다. 대기업이라 그런지 부장까지의 승진은 특별한 실수나 결격사유가 없는 한 남들과 비슷했다. 소심한 A형이라 그런지 주식, 부동산 투자는 겁이 나 대부분 그냥 예금을 했다. 우리 사주를 판 돈으로 주식을 샀으나 손실을 보았고, 계속 탈락하는 동시분양에 지쳐 지역 조합 분양권을 잘 못 샀다가 추가 분담금 요구 사태로 마음고생을 했다. 우여곡절 끝에 아파트가 완공되고 전세금을 빼서 잔금을 치러야 할 무렵, 전세금을 돌려주어야 할 집주인이 줄 돈이 없으니 다음 세입자 들어올 때까지 기다리라고 했다. 전세금 폭등시절에는 전세금을 올려주지 않으면 당장 방을 빼라고 엄포를 놓던 주인이었다. 전세금 반환 청구 소송에 들어가기 위해 내용 증명을 보냈더니 슬그머니 전세금을 내어 주었다. 그토록 많이 읽은 자기 계발서는 현실에서 내 문제들을 그다지 해결해 주지 못했다.

그리고 내가 자기 계발서 중독에서 벗어난 결정적 계기가 세 가지가 있었다.

첫째, 치열한 업무 수행에도 불구, 직장에서의 기회가 상사와 관계가 좋은 타동료에게 돌아가는 부조리를 목도했다. 삶의 진실은 따로 있었다. '노오력이 반드시 성공을 보장하지 않는다'도 진실이었다. '성공은 라인이고, 운빨이고, 타이밍이다.' 나는 삶의 불공정함과 비루함을 현실에서 모질게 터득하고 있었다. 이런 주제는 자기계발서 바깥의 영역에 있었다.

둘째는 '도대체 내가 뭘 읽은 거지?' (송민수)라는 책 한 권이다. 저자는 자기 계발서를 '대한민국 루저들의 아편'이라고 했다. 자기 계발서는 읽는 순간만 꿈과 희망에 기분 좋아지게끔 하는 가짜 약이다. 소위 플라시보효과를 제공해 줄 뿐이다.

저자는 자기 계발서를 여섯 가지로 분류한다. 계몽적 자기 계발서, 초월적 자기 계발서, 성공담 자기 계발서, 관리형 자기 계발서, 위로형 자기 계발서, 그리고 이기적 자기 계발서다. 이들 자기 계발서의 공통점은 사회, 경제 전체 시스템에 대한 담론은 외면하고 단지 개인들에게 '최선을 다해라. 그러면 이루어질 것이다.' 라고만 주장하는 것이다. '잔혹한 낙관주의'라고 볼 수 있다. 이 책을 읽은 후 나는 15년간 빠져있던 자기 계발 중독의 늪에서 벗어날 수 있었다.

그 빈자리를 메운 것은 인문학이었다.

셋째는 해외영업 부서에서 기획팀으로 옮긴 후 늘어난 자유시간 덕분이었다. 잦은 출장과 야근으로 피로에 지칠 대로 지친 나, 해외지사장이라는 기회를 빼앗겨 낙담해 있던 나였다. 상사는 미안했던지 심신을 추스를 수 있는 부서로 옮겨 주었다. 나는 칼퇴근 후 도서관에 가서 관심은 있었지만 시간이 없어서 못 읽었던 문학, 철학, 역사책을 읽기 시작했다.

직장에서의 나의 독서는 자기 계발서 파고들기였다. 승진과 부의 쟁취라는 명확한 목표가 있던 나에게 동기 부여와 관련된 지식이 필요했기 때문이다. 하지만 나는 자기 계발서의 진실을 알아버렸다. 물론 나는 자기 계발서의 효용을 무조건 부정하진 않는다. 분명히 자기 계발서대로 열심히 실천해서 성공하는 소수의 운 좋은 사람들도 있을 것이다. 마치 다들 열심히 수능 공부를 하지만 SKY를 가는 사람은 극소수이듯이.

자기 계발서는 일종의 인스턴트 음식이다. 가짜 꿈과 희망이라는 합성 색소로 범벅이 되어있지만, 영양소는 쏙 빠져있다. 영양소란 현실의 우리 사회 시스템, 노오력 보다 운과 환경에 좌우되는 성공

시스템에 대한 진실이다. 희망에 부풀어 최선을 다하고 있는 젊은 이에게 고춧가루를 뿌리는 것 같아 미안하다. 하지만 저자에서 많은 수익을 가져다준 '아프지만 청춘이다'라는 책이 아픈 청년들에게 많은 욕을 먹었다. '부자 아빠 가난한 아빠'를 쓴 저자는 정작 책을 많이 팔아 부자가 되었다. 뭐가 진실인지는 모호하지 않다.

퇴직 이후의 독서 법

퇴직한지 8개월이 지났다. 두번째 직장에서 2년간 다닌 후 퇴직이다. 2년 전 첫 번째 직장에서 희망퇴직을 한 후, 2개월 쉬고 바로 다음 직장에 들어 갔을 때와 현재는 느낌이 다르다. 회사에 소속되어 있을 때는 회사에만 몰빵한다. 그게 나의 단점이다. 회사는 직원이 안 나갈 만큼만 주니, 직원은 회사에 안 짤릴 만큼만 일하라고 했는데 설렁설렁 대충대충 회사 다니는 건 내 성격에 안 맞다. 인생 모 아니면 도다. 늘 빡세게 다니던 회사를 그만 두고 나니 이렇게 자유로울 수가 없다. 사람들이 걱정해준다. "50대인데 너무 이르지 않느냐?" "그래도 국민연금 나올 때까지는 다녀야 하지 않겠냐?" 나도 솔직히 고민이다. 재취업을 할 것인지? 은퇴를 할 것인지?

퇴직과 은퇴는 다르다. 내가 만일 세번째 직장을 찾고 있다면 나는 퇴직했을 지언정 은퇴했다고 말할 수 없다. 누군가 퇴직과 은퇴의 차이를 한마디로 정의했다. MBC PD출신으로 은퇴하신 김민식 씨가 이런 말을 했다. '내가 하기 싫은 일은 안해도 되고, 보기 싫은 사람 안 만나도 되는게 은퇴다' 라고 했다. 나는 이 정의에 동의한다. 현재 나는 세 번째 직장은 아니지만 새로운 직업을 찾고 있는 상황이므로 은퇴는 아니라고 할 수 있다. 하지만 하기 싫은 일 안하고 보기 싫은 사람 안 만나겠다는 결심이 강고하니 은퇴했다고도 볼 수 있다. 퇴직과 은퇴의 그 어느 중간 지점에 있는 직업 중에 '작가'가 있다.

내가 갖고 싶은 새 직업은 작가이다. 작가라는 직업은 장점이 많다. 조직에 얽매이지 않고, 시간에 자유로우며 내가 뭘 쓰느냐에 따라 다양한 '부캐' (부속 캐릭터)로 변신할 수 있다. 여행기를 쓰면 '여행작가'이고 에세이를 쓰면 '에세이 작가'이고 소설을 쓰면 '소설가'가 된다. 능력이 되면 겸업도 가능하다. 직장을 다니면서 글을 쓸 수도 있다. 물론 인공 지능의 시대에 ChatGPT의 도움을 받아 누구나 쉽게 글을 쓰는 시대가 도래했다. 작가로서 돈 벌기는 점점 어려운 세상이 되고 있다. 미국 작가 조합에서 파업을 하는 것도 이 맥락 때문이다. AI가 초안 만들어 준 걸 저작권이라고 인정해 주면, 작가의 추가적 창작 활동은 평가 절하될 수 밖에 없다. AI가 주연이 되고 작가들은 조연으로 밀려난다. 하지만 아직까지 AI가 만든 초안은 수많은 지식을 짜깁기한 것일 뿐 저작권을 주장할 만한 글이라고 할 수 없다는 것이 미국 작가들의 주장이다. 나도 Chat GPT를 써본 결과 미국 작가들의 주장에 동의한다. ChatGPT는 스마트한 질문을 던져야만 스마트한 글을 써준다.

작가도 생계형 작가와 이상형 작가가 있다. 먹고살기 위해 치열하게 다작을 했던 프랑스 작가 '오노레 드 발자크'가 대표적 생계형 작가이다. 반면 아버지가 백작이었던 귀족 출신 '레프 톨스토이'는 이상형 작가라고 할 수 있다. 젊었을 때부터 오랫동안 글을 쓰고, 재능이 있다면 생계형 작가로 성공할 수 있을 것이다. 하지만 인생 2막 무렵에 늦게 작가를 꿈꾸는 사람이 생계형 작가를 목표로 하는 것은 과욕이고 비현실적이다. 일상/기록형 블로거와 돈 버는 수익형 블로거는 마인드가 다를 수밖에 없다. 돈을 벌기 위한 글은 늘 소비자와 독자에게 신경을 써야 한다. 나는 일상/기록형 블로거다. 물론 수익이 생기면 많은 동기부여가 되겠지만 수익만을 목표로 하고 싶진 않다.

퇴직 후 독서를 위해 도서관에 자주 들른다. 하지만 열람실에 작가가 되기 위한 독서를 하는 사람은 잘 보이지 않는다. 5060은 대부분 주식을 포함한 재테크 책이나 주택관리사, 공인중개사 등 자격증 공부를 한다. 나처럼 소설이나 에세이를 보는 분들도 있지만 가뭄에 콩나듯이다. 퇴직 후 생계가 급박하고 재취업이 절실한 분들은 그에 맞는 자기 계발서 독서를 해야 하는 것이 당연하다. 하지만 인생 2막을 먹고사니즘의 굴레에서 벗어나 새롭고 행복한 인생을 살고 싶은 사람한테 독서는 필수다. 일상의 변화를 추구하고, 새로운 취미를 찾고, 항상 하고 싶었지만 시간이 부족해 미루었던 것들을 해야지 하는 사람에게 독서는 유용하다. 다양한 관점을 탐색하고, 새로운 아이디어를 발견하며, 지식을 확장하는 데 독서만 한 것이 없다.

퇴직 후엔 시간에 쫓기는 독서를 할 필요가 없다. '백수가 과로사 한다'라는 농담을 한다. 은퇴 후 미뤄 놓은 취미나 일들을 욕심을 부려 몰아서 하려다 보니 직장시절보다 더 바쁘고 스트레스를 받는 우스운 상황이다. 그러다 보니 독서를 위한 집중력도 낮아진다. 늦은 나이에 새롭게 시작하는 것을 빨리 잘해 보려고 하니 늘 불안을 느낀다. 하지만 그럴 필요가 없다. 속독보다는 느리게 읽는 것이 좋다. 한 구절 한 구절 음미하고 가슴에 새기면서 읽는 것도 나쁘지 않다. 시간에 쫓기며 자기 계발서를 발췌독하던 시절은 이미 끝났다. 나를 성찰하고 삶의 의미를 찾을 때다. 그리고 시간 부자가 아니던가? 화창한 가을날에 카페 소파에 느긋하게 앉아 자메이카 블루마운틴이나 케냐 AA 원두 커피 한잔하면서 여유롭게 책장을 뒤적이는 것도 좋다. 혹은 동해안 어느 바닷가에 캠핑의자에 앉아 자몽에이드를 한 잔 마시면서 독서 삼매경에 빠져도 좋다. 나는 해외 출장 중에 호텔 수영장 옆 썬배드에서 책을 읽는 사람들이 그렇게 부러울 수가 없었다. 나의 로망이다.

만일 좀 더 체계적으로 독서를 하고 싶다면, 읽을 책 목록을 미리 작성해 보는 것도 좋다. 관심 있는 주제나 장르부터 시작할 수 있다. 비평적 사고를 개발하거나 특정 주제에 대한 깊은 이해를 구축하려면 관심있는 한 주제에 대해, 여러 저자와 다양한 관점의 책들을 쌓아 놓고 읽어 보는 것도 좋다.

독서 모임이나 북 클럽에 참여하여 같은 관심사를 가진 사람들과 함께해도 좋다. 나의 해석과 다른 사람들의 견해를 공유하며 심도 있게 학습할 수 있는 좋은 방법이다.

매 책마다 간단한 리뷰를 작성하여 얻어진 지식과 인사이트를 기록하는 것도 좋다. 북리뷰를 기록하는 도구로 블로그가 유용하지만, 꼭 블로그가 아니더라도 노트나 메모 앱에 기록해서 나의 감상을 적어 놓으면 나중에 기억하는 데 도움이 될 것이다. 뭐든 정답은 없다. 내가 제일 편하고 부담 없는 방법이 최고다.

퇴직 후에 독서 삼매경에 빠지는 것만큼 훌륭한 시간 보내기는 없다. 독서를 시간 때우기라고 폄하할 필요도 없다. 새로운 관점을 탐색하고, 자신의 세계를 확장하며, 삶과 인간을 더 깊이 이해하는 훌륭한 도구다. 뇌의 노화를 막는 멋진 수단이기도 하다. "퇴직하고 뭐 하십니까?"라고 누군가 묻는다면 "책을 읽고 있습니다."라고 당당하게 이야기하자.

인문학의 지향점

나는 왜 인문학을 공부하는가? 아마도 짧게 답을 한다면 '본질을 꿰뚫는 현명한 사람이 되고 싶다'라고 하겠다. 인문학에 관심을 가지면서 가장 먼저 접한 인물이 바로 '프리드리히 니체(1844~1900)'다. 유명한 독일의 철학자이다. 그는 기존의 유럽의 사상을 맹렬히 비판했고, '차라투스트라는 이렇게 말했다' 등 여러 저서를 통해 영원회귀, 권력에의 의지 등 독창적인 사상 세계를 구축한 사람이다. 대단한 철학자다.

본질에 대한 생각을 나타낸 니체의 글이 있다.

> 현실과 본질 모두를 보라.
>
> 눈앞의 현실만 보고 그때마다 현실에 적합한 대응을 하는 사람은 명백한 현실주의자다. 이는 어쩌면 믿음직스럽게 보일지도 모른다. 물론 우리는 현실 속에서 살고 있으므로 현실에 대응하는 것은 중요하다. 현실은 멸시해야 할 대상이 아니라 우리가 발을 딛고 살아가는 토대이기 때문이다.
>
> 그러나 사물의 본질을 보려고 하는 경우에는 현실만을 봐서는 안 된다. 현실의 맞은편에 있는 보편적인 것, 추상적인 것

이 무엇인지 꿰뚫어 보는 시선을 지닐 수 있어야 한다.
고대 철학자 플라톤과도 같이.

출처: '니체의 말' (시라토리 하루히코 엮음), P 251

대부분의 사람들은 가족을 지키고, 직장에서 승진하고, 주변 관계 유지에 매달리다 보니 삶의 본질에 대해 고민할 겨를이 없다. 한마디로 갯벌에 발이 빠진듯이 현실에 푹 파묻혀 있다. 차안대(遮眼帶)를 낀 경주마처럼 헉헉거리며 레인을 달리기 바쁘다.

이럴 때 필요한 것이 인문학이다. 니체는 인문학 (Humanities)를 다음과 같이 정의했다.

인간 삶의 경험에 대한 이해와 그 의미 탐구를 통해 궁극적으로 스스로의 성숙한 삶을 형성해 주는 학문이다.

출처: 니체의 정의 (한양대학교 인문학 특강, 김신아)

즉, 인간과 인간들로 이루어진 세상에 대한 통찰과 본질을 꿰뚫는 지혜를 탐구하는 학문을 인문학이라고 할 수 있다. 인문학을 하는 훌륭한 도구는 읽기, 사색하기 그리고 쓰기다. 니체는 '읽어야 할 책'에 대해서 이렇게 말한다.

> 우리가 읽어야 할 책은 다음과 같은 것이다. 읽기 전과 읽은 후의 세상이 완전히 달리 보이는 책. 우리들을 이 세상의 저편으로 데려다 주는 책. 읽는 것만으로도 우리의 마음이 맑게 정화되는 듯 느껴지는 책. 새로운 지혜와 용기를 선사하는 책. 사랑과 미에 대한 새로운 인식, 새로운 관점을 안겨주는 책.
>
> 출처: '니체의 말' (시라토리 하루히코 엮음), P 222

Chapter 5에서 소개할 '내 가슴을 떨리게 한 열 권의 책'이 니체가 말한 '읽기 전후에 세상이 달라 보이는 책'이었다. 작가 박웅현도 '책은 도끼다'라는 특별한 제목의 책을 써서 베스트셀러가 되었는데, 재미있게 읽었던 기억이 난다. 내가 생각하는 인문학의 지향점은 바로 이것이다. 나의 굳은 사고와 관념을 깨부수는 것이다. 왜 깨부수어야 할까? 왜냐하면 깨면 깰수록 나는 더 많은 '자유로움'을 느끼게 되기 때문이다.

내가 만일 40대 초반에 회사에서 임원만을 목표로 열심히 사축(社畜)의 길 만을 걸었다면 어땠을까? 회사로부터 유통기한 끝난 도

시락 같은 대접을 받는 순간 충격이 컸을 것이다. 하지만 나는 열심히 책을 읽은 덕분에 조직 생활의 본질을 일찍 깨달았고 무리하지 않았다. 다행히 나를 갈아 넣지 않았던 것이다. 사원 때 부터 과장때까지는 야근도 밥 먹듯이 하고 번개 회식도 늘 참석했다. 퇴근 후나 주말 전화도 재깍 재깍 받았다. 하지만 깨달은 후에는 그렇게 하지 않았다. 물론 일 자체가 재미있는 경우에는 자연스럽게 생긴 열정에 이끌려 열심히 일하기도 했다. 하지만 폭주하지는 않았다. 노련해졌다 고나 할까?

'최선을 다해라', '열정을 갈아 넣어라', '시간은 돈이다' 이런 미련하고 구태의연한 구호나 이데올로기에 함몰되는 것은 어리석다. 조직에서의 최선과 열정은 근본적으로 평가받고 보상받기 위한 것이다. 빈센트 반 고흐가 그림을 그리면서 느꼈던 열정과는 그 온도와 메카니즘이 완전히 다르다. 예를 들어 순수한 자기 기록 목적의 블로그 운영과 돈을 벌기 위한 수익형 블로그 운영은 다르다. 수익을 염두에 둔 글쓰기는 독자와 소비자의 눈치를 보고 글을 쓰며 자기 검열을 할 수밖에 없다. 아름답고 진실한 글이 아니라 포장하고 감추는 글이 될 수밖에 없다. 수익형 블로거를 비난할 생각은 없다. 수익을 통해 생계를 해결하고 내 존재감을 느끼는 건 자본주의 사회에선 당연하고 지극히 자연스러운 일이다. 하지만 마음껏, 소신있게 쓰는 자유는 희생될 수밖에 없다. 물론 마음껏 쓰면서 돈도 잘 버는 베스트셀러 작가도 있다. 무척 부러운 사람들이다. 그들은 일종의 권력자다. 독자를 설득하고 매혹하는 특별한 재능을 가지고, 치열한 공부와 글쓰기 연습을 통해 꾸준히 힘을 길렀던 것이다.

결론적으로 나의 인문학의 지향점은 굳어버린 머리 깨기이다. 소위 말하는 교과서 중심의 정규교육을 통해 고정되어 잠자는 뇌에 버킷 챌린지를 하는 것이다. 그리고 발견한 새로운 인식과 관점을 사람들과 소통하며 공유하는 것이다. 혼자만의 인문학은 외롭다. 나와 동시대를 살아가는 모든 사람들은 각자가 한 권의 책이다. 사람과의 만남도 나를 깨어나게 할 수도 있다. 그것 만한 행운도 없으리라.

새로운 관점과 인사이트 발견

인생을 살다 보면 가끔 이런 생각이 든다. '나는 잘 살고 있는 걸까?', '내가 가는 이 길이 맞나?' 그럴 때 다른 사람들은 어떤 생각과 철학을 가지고 있는지, 어떤 시각과 관점을 갖고 있는지 매우 궁금해진다. 하지만 우리가 일상에서 늘 접하는 정보, 늘 만나는 직장 동료들 한테서 이런 것들을 기대하기는 쉽지 않다.

여기에 등장하는 해결책이 바로 '인문학'이다. 인문학은 우리를 다양한 사람들과 역사, 철학 등의 넓은 세상으로 안내해 준다. 그것은 마치 타임머신을 타고 과거와 미래를 오가며, 다른 사람들의 생각을 엿보는 것과 같다. 인문학의 3대 분야인 문학, 역사, 철학은 어떻게 이를 만족시켜주는지 한번 생각해 보았다.

가장 먼저, 문학을 통해 다양한 인간 본성을 탐구함으로써 인간을 보는 관점을 정립할 수 있게 된다. 문학이라는 거울 앞에 서면, 우리는 자신이 알지 못했던 다양한 인간 본성에 대해 깊게 이해할 수 있다. 예를 들어, 도스토옙스키의 '죄와 벌'에서는 범죄자 라스콜니코프의 복잡하고 모호한 심리와 죄를 경험하는 인간의 변화무쌍한 감정을 이해하게 된다. 그리고 에밀 졸라의 '인간 짐승'을 통해서는 원초적 살인 충동과 악마적 본성을 이해할 수 있게 된다.

또, 우리는 역사를 읽음으로써 시사점 찾아내고 미래를 예측할 수 있다. 과거에서 많은 것을 배우는 것이다. 시오노 나나미의 '로마인 이야기'에서 제국의 흥망성쇠를 따라가다 보면 현재의 강대국들이 어떤 미래를 가지게 될지 어느 정도 예측이 가능하다. 가령, 로마제국의 멸망 원인들로 지적되는 '내부 붕괴'와 '외부의 위협'이 전개되는 양상을 탐구하면, 현재 전성기에 있는 나라들이 결국 같은 패턴을 보이지 않을까도 생각 해볼 수 있다.

마지막으로, 철학자나 학자들의 생각은 우리가 세상과 삶을 이해하는 데 큰 도움이 된다. 예를 들어 플라톤의 '동굴의 비유'는 우리가 바라보는 현실이 얼마나 왜곡되어 있는지, 우리가 실체를 제대로 인식하는 것이 얼마나 어려운지 말해준다.

인문학은 마치 지도와 나침반 같은 존재다. 우리가 어디서 왔는지, 어디로 가야 하는지를 알려주며, 다양한 인간의 본성과 역사적 사건들을 통해 새로운 시각과 통찰력을 제공한다. 그래서 우리는 인문학 공부를 통해 자신만의 확고한 세계를 구축해 나갈 수 있다. 흔들리지 않는 세계는 온갖 가치관과 이데올로기가 범람하는 세상에서 나를 굳건히 잡아 줄 것이다. 그것이 새로운 관점과 인사이트 발견의 효용성이다.

책에서 얻은 인생의 교훈들

우리가 인생에서 얻는 교훈은 크게 두가지이다. 삶의 경험을 통해 얻는 살아있는 교훈과 책에서 간접적으로 얻는 교훈이다. 혹자는 살면서 얻는 살아있는 교훈이 중요하다고 말한다. 하지만 나는 체험에만 의존하는 사고는 때론 위험할 수 있다고 본다. 한국전쟁을 경험한 아버지나 할아버지 세대는 대부분 '좌파'란 얘기만 하면 '종북'과 연결시키고 '빨갱이'라며 히스테리를 일으킨다. 반대로 일제치하 고문과 탄압을 심하게 받은 사람은 일본인들 모두가 원수처럼 인식될 것이다.

삶의 균형을 잡아주는 것은 편협되지 않는 '독서'다. 살아가면서 터득한 지혜와 교훈에 덧붙여 다양한 분양의 독서를 통해 조화롭고 성숙한 인격을 갖추게 된다. 독서를 통해서 얻는 인생의 교훈들이 무엇일지를 한번 생각해 본다.

첫째, 내면의 세계를 이해하는 힘

책은 내면의 세계를 탐색하는 도구다. 나는 신영복 선생의 옥중 서간 '감옥으로부터의 사색'을 읽으면서 열악하고 척박한 주위환경에도 불구하고 아름다울 수 있는 인간 내면을 들여다 보았다. 그리고 조지 오웰의 저서 '나는 왜 쓰는가'에서도 스페인 내전에 자발적으로 참여한 한 지식인의 치열한 내면을 살펴볼 수 있었다.

둘째, 다양성에 대한 이해

다양한 배경과 문화를 가진 사람들에 대한 이야기를 읽음으로써, 우리는 다양성에 대한 감사함과 존중을 배운다. 복카치오의 '데카메론'을 통해서 나는 암흑의 중세 시기에도 인간 본연의 다양하고 자유로운 욕망이 존재했다는 사실에 재미를 느꼈다. 문학 작품을 읽다 보면 인간은 밤하늘 무수한 별빛 같다.

셋째, 비판적 사고력

책은 비판적 사고력을 기르는데 필수적이다. 조지 오웰의 '1984'나 올더스 헉슬리의 '멋진 신세계' 같은 작품들은 현재 사회와 정치 구조에 대해서 재차 생각하도록 독려한다.

넷째, 자아정체성 발견

고전 문학중에는 성장 소설이 참 많다. 헤르만 헤세의 '데미안'이 그렇고 데이비드 셀린저의 '호밀밭의 파수꾼'이 그렇다. 많은 소설들은 주인공이 스스로 찾아가는 험난한 과정을 보여주며, 그 과정

속에서 성장할 수 있다는 것을 보여준다.

다섯째, 타인에 대한 공감능력 향상

소설을 읽는 것은 우리의 공감능력을 향상시키는데 큰 역할을 한다. 평소 자기계발서만 읽던 내가 고전 문학을 읽으면서 감성이 풍부해지고 타인의 감정을 읽는 것이 수월해졌다는 느낌을 가졌다. 임홍택 작가의 '90년생이 온다' 같은 책을 통해 MZ세대와 공감하는 계기가 되기도 했다.

여섯째, 인내와 끈기

책에서 우리는 인내와 끈기의 가치를 배울 수 있다. 예를 들어, '마지막 강의'에서 랜디 포시가 보여준 그의 인생은, 어려움 속에서도 희망을 잃지 않고 계속해서 전진하는 것이 얼마나 중요한지를 보여준다.

일곱째, 창조성과 상상력

'해리 포터 시리즈' 같은 판타지 소설이나 오비디우스의 '변신이야기'같은 신화는 우리에게 창조성과 상상력이라는 보물을 선사하기도 한다.

여덟째, 현실 인식

책으로부터 현실 세계에 대한 깊이 있는 이해를 얻을 수 있다. 예컨대, 유발 하라리의 '사피엔스'는 인류 역사와 현재 세계 질서에 대한 독특하고 근거 있는 시각을 제공한다. 또 팀 마샬의 '지리의 힘' 이라는 책 또한 현실적으로 지리적, 환경적 요건이 한 나라의 운명을 얼마나 좌우하는지 설득력있게 보여준다.

아홉째, 자기계발

동기를 부여하고, 실천력을 강화하는 측면에서 자기계발서도 훌륭한 책이다. 나는 앤절라 더크워스의 '그릿'이나 말콤 글래드웰의 '아웃라이어'란 책에서 탁월한 성과를 내는 자기 계발법을 발견하기도 했다.

열번째, 삶에 대한 깊이 있는 이해

밀란 쿤데라의 '참을 수 없는 존재의 가벼움' 같은 책은 사랑에 대한 철학적 담론을 담은 책으로 우리 삶의 복잡함과 아름다움 모두를 보여준다.

결론적으로 책에서 얻는 교훈들은 우리가 세상을 바라보는 방식부터 내면적인 성장까지 여러 면에서 크게 기여한다. 따라서 항상 생활 속에서 조금씩 시간 내어 꾸준히 책을 읽는 것이 중요하다.

창의성에 대하여

로봇과 AI가 인간의 육체노동과 정신노동을 대체하는 시대다. 이제 인간이 할 수 있는 일은 무엇인가? 사람들은 창의적인 일을 해야 한다고 말한다. 그럼 창의성, 독창성이란 도대체 무엇인가?

니체는 '독창적이기 위해서는' 이란 글에서 다음과 같이 말했다.

독창적이기 위해서는

완전히 새롭고 독특한 것을 발견하는 특수한 촉수를 가진
소수의 사람을 독창적이라 일컫는 것이 아니다.
이미 낡은 것이라 여겨지는 것,
모든 사람들이 알고 있어 너무도 흔하다 여겨지는 것,
많은 사람들이 충분히 가지고 있다는 생각에
너무도 쉽게 간과하는 것을
마치 전혀 새로운 창조물인 양 재검토하는
눈을 가진 사람이 독창적인 사람이다.

출처: '니체의 말' (시라토리 하루히코 엮음), P249

스티브 잡스는 '창의성이란 사물을 연결하는 능력이다'라고 했고, '에디톨로지(editology)'의 창시자 김정운 교수도 세상에 새로운 것은 없으며, 창조란 기존에 있는 것을 자신만의 관점으로 새롭게 편집 (Edit) 하는 것이라고 했다. 서로 연결하고 편집하기 위해서는 대상을 수집해야 한다. 여러 분야의 광범위한 독서가 그래서 중요하다. 물론 매일의 뉴스 그리고 새로운 사람들을 만나는 것도 콘텐츠 확보에 중요한 액티비티다. 하지만 책만큼 깊이 있는 콘텐츠는 없다. 매일매일의 뉴스는 주식으로 치면 단타다. 비즈니스를 위한 만남도 관계의 단타다. 이런 가벼운 콘텐츠도 필요하지만 창의적이 되기 위해선 시간을 들여 집중해서 탐구된 심오한 콘텐츠가 더 중요하다고 생각한다.

인공지능 ChatGPT에 관심이 많다. 프롬프트에 질문을 던지면 수조 개의 학습된 문서를 조합해 최적의 답을 낸다. 그런데 AI의 글은 왠지 창의적이라는 생각이 안 든다. 왜 그럴까? 아마도 잘은 모르겠지만 거대 언어 모델의 단어 조합과 인간의 뇌가 만드는 단어 조합과 관련하여 어떤 메커니즘의 차이가 있는 게 아닌가 싶다. 인간 개개인은 고유하다. 영화 '기생충'의 봉준호 감독이 거장 마틴 스콜세지 감독을 언급하며

> 가장 개인적인 것이 가장 창의적인 것이다.
> ("The most personal is the most creative.")

출처: 마틴 스콜세지

라고 한 것도 이런 맥락이다.

하지만 문제는 이것이다. AI는 정신노동 측면의 생산성을 높여줄 순 있겠지만 부작용으로 세상을 획일화시켜 버릴 가능성이 있다. 왜냐하면 점점 더 많은 사람들이 AI에 대한 의존도가 높아질 것이기 때문이다. 즉, AI가 보여주는 개성 없는 글이 인간에 의해 편집되고 그것을 다시 AI가 학습하게 된다. 그리고 그 결과물을 다시 인간이 편집하게 되는 순환고리가 형성되면 인간의 개성과 창의성은 점점 파괴되고 세상은 평평(Flat)해 질 것이라는 전문가들의 우려가 있다. 마침내 창의성마저도 AI에 의존하는 세상. 과연 인간에게 남는 것은 뭘까?

많은 사람들이 도시로 모여든다. 세상의 도시들은 점점 더 닮아가고 있다. 런던이나 상해나 도쿄나 서울 모두 고층 건물이 모여있는 도심, 몇 개 안되는 브랜드의, 모양도 비슷한 자동차들이 돌아다니고, 직장인들은 비슷한 양복에 넥타이를 매고 출근하고, 모두들 비슷한 모양의 스마트폰을 들여다보고 있다. 물론 각 도시의 구시가지에 가면 역사적이고 개성 있는 건물, 가게, 음식도 있다. 하지만 개성 있는 구 도심은 불도저로 밀어버린 정글에서 포획한 동물들만 따로 모아 놓은 동물원 같은 존재다.

창의성의 파괴는 15세기 대항해 시대 때부터 이미 시작되었는지 모른다. 유럽의 문화가 동양으로 퍼지고 동양의 문화가 유럽으로 전파되었다. 남미 대륙이 포르투갈, 스페인의 지배를 받으면서 인종이 섞이고 언어는 스패니시로 통일되었다. 산업혁명이 시작되면서 전 세계로 똑같은 폭의 철로가 깔리고 똑같은 모양의 기차가 돌아다니기 시작했다. 포드가 자동차를 대량 생산하기 시작하자 전 세계는 같은 폭의 도로가 깔리고 바퀴 네 개의 철판 상자들이 도로를 메우기 시작했다. UN이다 WTO다 하면서 세계화는 점점 빠른 속도로 세상을 '복붙' (복사 붙여넣기) 하기 시작했다.

이제 영어는 전 세계 공용어이고, 글로벌 화폐는 미국 달러다. 물론 중국의 국력이 부상하면서 위안화에도 파워가 실리고 있지만 여전히 미국 달러는 전 세계 어디서나 통용되는 기축 통화다. 중국, 러시아 심지어 북한마저도 사유재산제를 중심으로 한 자본주의가 경제 시스템의 근간이 되었고, 대부분의 나라는 왕이 있든 없든 투표로 리더를 뽑는 민주주의를 표방한다. 웬만한 나라에 맥도날드와 스타벅스 간판을 볼 수 있고, 유튜브를 통해서 똑같은 동영상을 수천만, 수억 명이 바라본다. 할리우드 영화가 전 세계 극장에서 방영

되고 팝송이 전 세계 음반시장으로 퍼진다. 심지어 이제는 대한민국도 '강남스타일'같은 글로벌 콘텐츠나 'BTS' 같은 글로벌 스타를 배출하기 시작했다.

며칠 전 케이블 방송의 한 여행 프로그램에서 우리나라의 한 개그맨을 자카르타의 한 여성이 알아보고 사진을 찍자고 하는 장면을 봤다. 세상이 교류하면서 동질화되고 있다는 건 누구나 체감한다. 몇 달 전 포르투갈 리스본을 여행했는데 도로, 슈퍼마켓, 지하철, 스마트폰을 들여다보는 사람들의 모습 등은 우리나라와 비슷했다. 낯선 동네를 걷는데도 익숙한 데자뷔를 느낄 때가 많았다. 내 느낌에 세상은 80%가 비슷해진 것 같다. 물론 20%의 차이만으로도 이국에 온 느낌을 받을 수 있다. '칼사다 포르투게사'라는 포르투갈 특유의 보도블록, 유럽풍 건물, 그 나라 역사적 인물의 동상 등은 당연히 유니크하다. 하지만 내가 사는 서울과 비교할 때, 차이점보다는 닮은 점이 훨씬 많다는 생각이 지배적이다. 반대로 국내의 삼척이나 양양에 있는 유명 콘도의 콘셉트는 그리스 산토리니나 스페인 풍이었다. 내가 한국에 있는지 유럽에 있는지 헷갈릴 지경이다.

가장 동질화된 부분은 IT다. 전 세계인이 윈도즈 OS를 쓰고, MS Office를 써서 문서를 작성하고 수식을 계산을 하고 PPT를 만들고 구글에서 검색한다. 스마트폰은 삼성 아니면 애플이다. 전 세계 부자들의 명품 시계는 스위스제이고 명품차는 포르쉐, 페라리, 람보르기니, 맥라렌, 애스턴 마틴 뭐 이런 종류들이다.

세상의 모든 곳은 원래 매우 달랐다. 하지만 역사가 진행될수록 점점 비슷해져 가고 있다. 100년쯤 후엔 세상이 어떤 모습일까? 500년 후는? 조지 오웰의 '1984'처럼 될까? 올더스 헉슬리의 '멋진 신세계'처럼 될까? 교류를 통해 이종교합, 벤치마킹, 획일화가 가속화되면 모든 인류의 생각까지도 똑같아지지는 않을까? 더 이상 창의성이나 독창성은 존재하지 않고, 그나마 필요한 창의성도 인공지능이 다 해결해 주는 재미없고 무미건조한 세상이 올까? 아마도 이건 디스토피아일 것이다.

독서 모임에서 나는 일부러 남들과 다른 의견을 낼 때가 있다. 모두 같은 의견을 내고, 서로 맞장구만 쳐주면 토론이 재미가 없다. 누군가 색다른 관점을 얘기하고 놀라운 시각을 보여줄수록 모임이 더 즐겁고 풍부해진다. 나는 사람들이 외모도, 패션도, 취향도 다 다르고 다양했으면 좋겠다는 생각을 한다. 다르다는 것이 왕따나 배척의 대상이 아니라 칭찬받는 일이 되었으면 좋겠다. 왜냐면 그래야만 사는 게 재미있을 것 같고 행복할 것 같다. 또 그래야만 모두 한 방향으로만 전력 질주하는 답답하고 획일적인 '경쟁시스템'이 끝날 것 같다. 역사의 방향성은 세상을 평평(Flat)하게 만들고 있지만 그 속도는 좀 느리길 바란다.

모두 같은 의견을 낼 때 다른 의견을 내려면 폭넓은 독서와 깊은 성찰을 통해 나만의 독특한 생각과 관점을 만들어야 한다. 개성을 추구하기 위해선 다양한 시도를 해봐야 한다. 독창적인 사진을 얻기 위해선 많은 사진을 찍어 보아야 한다. 결국 창의성과 독창성은 깊이와 시간과 노력의 함수이다.

지인 중에 산스크리트어를 배우는 사람이 있다. 내가 물었다. "쓸데없이 그런 건 왜 배워요?" 했더니 "재미있을 것 같아서요." 그 지인을 마음속으로 응원한다.

삶의 방향을 찾는 독서의 역할

직장 다닐 때다. 회사 동호회에 선배가 한 명 있었다. 나는 사원이고 그는 대리였다. 어느 날 갑자기 나에게 "나 회사 그만둬. 잘 지내" 하는 것이었다. 요트 동호회라 여름에 바닷가로 여행도 같이 다니고, 늘 활달한 성격의 친한 선배가 갑자기 이른 대리의 나이에 대기업을 그만둔다는 게 놀라워서 물었다. "왜 갑자기 그만 두려구요? 로또 맞았어요?", "응, 사업 한번 해보려고...", "갑자기 사업할 생각은 어떻게 한 거여요?", "응 책을 한 권 읽었어" 하고 나한테 건네준 책이 바로 로버트 기요사키의 "부자아빠 가난한 아빠"였다.

그 선배는 그때 회사를 차렸고, 아주 대박은 아니지만 지금은 공장까지 운영하면서 20년간 안정적으로 회사를 운영해오고 있다. 한 권의 책이 그의 인생을 바꾼 것이다. 물론 나도 그 책을 읽었지만 감히 회사를 차려 독립할 생각은 하지 못했다.

인생은 속도가 아니라 방향이라고 말한다. 아닌 길로 전력질주하면 오히려 후회를 더 키울 수가 있다. 방향성을 찾아주는데 독서가 해답이 될 수 있다고 나는 생각한다. 독서를 통해 삶의 방향성이 바뀐 인물은 많다.

말콤 엑스(X)라는 인물을 아는가? 그는 미국의 유명한 흑인 인권 운동가이다. 미국 내 이슬람 종교 단체 네이션 오브 이슬람의 종교 지도자이자 흑인 인권 운동가로서 흑인들의 정신적 지주이기도 했다. 그런 그가 한때 건달이었고 감옥에도 갔다 왔다는 걸 아는가? 그를 구원해 준 것은 감옥에서 만난 은인이었고 그리고 독서였다. 그는 치열한 독서를 통해 미국 흑인들의 역사와 차별의 실상에 대해 깨우쳤고, 소명의식이 싹텄다. 말콤 엑스와 관련한 어느 기사를 인용한다.

> 1950~1960년대 미국의 흑인 인권 운동가 말콤 엑스(X)는 14살에 학교를 중퇴하고 제대로 된 교육을 받지 못했으나 감옥에서 독서를 하면서 세계적인 사상가로 성장했다. 말콤 엑스(X)는 출신학교를 묻는 기자에게 "책"이라고 답변하기도 했다.
>
> 출처: 김정웅 서플러스글로벌 대표 @포브스 코리아

또 유명한 독서가 중 미국 최대 부자인 '워런 버핏'이 있다. 그의 독서력과 관련한 기사 부분을 인용한다.

> 세계에서 가장 존경받는 사업가인 워런 버핏을 수십 년간 옆에서 지켜봤던 찰리 멍거는 '워런 버핏의 단 한 가지 장점'이란 글에서 버핏을 평생에 걸친 학습 기계(Learning machine)

로 평가했다. 버핏은 자신이 하루 500페이지씩 책을 읽을 때도 있다고 말할 정도로 소문난 독서가다.

그는 2010년 "내 직업은 본질적으로 더 많은 사실과 정보를 수집하는 것에 불과하며 간혹 이들이 행동으로 연결되는지 보는 것"이라고 밝혔다.

출처: 김정웅 서플러스글로벌 대표 @포브스 코리아

또 유명 베스트셀러 작가인 프랑스의 베르나르 베르베르는 다음과 같이 말했다.

저는 어렸을 때, 고독한 아이였습니다.

당시는 TV, 인터넷, 등 미디어와 IT가 발전하지 않았던 시절이었습니다.

그런 시절에 제가 유일하게 재미를 느낄 수 있었던 것은 책이었습니다.

만약 지금처럼 게임이나 TV 등이 발달했더라면, 이렇게 글쓰기에 큰 흥미를 가지거나 취미로 삼지 않았을 수 있었겠죠. 하지만 다행히도 그러지 않았고, 저는 고독 덕분에 이렇게 글을 쓰는 것이 즐거운 사람이 되었습니다.

출처: 채널 예스, 명사의 서재, 베르나르 베르베르 "내 서재는 기쁨의 랑데부"

나이가 많든 적든 책이 사람을 변화시킨다는 것은 진리이다. 어떻게 그럴 수 있을까?

첫째, 독서를 통해 우리는 편협된 경험의 우물에서 벗어난다. 둘째, 좋은 책은 우리에게 질문을 던지며 스스로 생각하게 만든다. 셋째, 책 속의 이야기나 인물들을 통해 우리는 삶에 대한 다양한 가치관과 원칙을 배운다. 마지막으로 독서를 통해 우리는 자신이 목표로 하는 바를 더욱 명확하게 인식할 수 있다.

독서는 단순히 지식을 얻는 수단이 아니라, 삶의 방향성을 제시하고 개인의 성장과 발전에 중요한 역할을 한다. 누구나 방향 전환이 가능하다. 그리고 그 시점에 만나는 도전과 역경 속에서 책장 한구석에 꽂혀있는 책이 지혜와 힘과 용기를 주는 한 줄기 빛이 될 수 있다.

Chapter 4.
독서 고수가 되기 위한 꿀팁

나의 독서법

어떻게 읽을 것인가? 독서법에 대한 이야기다. 아마도 이와 관련한 수천 권의 책이 또 있을 것이다. 마치 정답이 있는 것처럼 주장하는 수많은 책들... 나는 정답은 없다고 생각한다. 인생에 정답이 없듯이. 하지만 책을 좋아하고 독서를 좋아하는 사람들은 제각기 자신만의 원칙이 있으리라고 본다. 나에게도 세 가지 원칙이 있다.

첫째는 관심 가는 책 읽기다.

독서는 재미있다. 아니 재미있어야 한다. 지루한 독서를 하기엔 인생이 너무 짧다. 프롤로그에서도 언급했듯이 현재 세상에 존재하는 책은 약 1억 3천만 권이다. 매년 2백만 권 이상이 출간되고 있으며 하루에 약 6,000권이 출간되는 셈이다.

책 읽기는 올림픽이 아니다. 많은 책을 읽었다고 금메달을 주지는 않는다. 다독에 대한 욕심을 버리고, 내가 관심 가는 분야, 내가 흥미를 느끼는 분야의 책을 정해서 읽으면 된다. 10년간 약 1000권의 책을 읽었다. 때론 욕심에 마구잡이로 읽기도 했다. 그런 책들 중 상당수는 지금 망각의 호수에 가라앉았다. 물론 무의식에 남아 있을 지도 모른다. 하지만 책 읽는 그 순간 위로 받고 감동 받고 내

지적 호기심이 충족되어 행복했다. 그러면 된 거다.

내 주된 관심사는 문화 인류학이다. '총균쇠', '사피엔스'를 읽으면서 관심이 촉발되었다. 내가 돈에 관심이 많았을 때는 경제나 재테크 관련 책을 주로 읽었다. 하지만 지금 내 관심사는 'Who am I?'다. 그 답을 찾다 보니 문화 인류학을 포함한 인문학에 빠져들게 되었다. 관심사가 바로 나다. 누군가 그랬다. '당신이 읽은 책을 알려줘. 그럼 당신이 누군지 말해주겠다.'

둘째는 골고루 읽기다.

독서는 생각의 지평을 넓혀주고 사고를 깊게 해주는 훌륭한 활동이다. 특히 지평을 넓히기 위해서는 골고루 읽어야 한다. 젊었을 때는 자기 분야의 전문서적을 읽느라 바쁘다. 생계형 공과든 생계형 문과든 다 그럴 것이다. 하지만 특정 분야의 책만 읽은 사람은 차안대(遮眼帶)를 찬 경주마가 되기 쉽다. 민주 시민으로서 교양 쌓기라는 거창한 얘기를 할 필요도 없다. 행복한 삶을 위해서는 세상과 인간에 대한 폭넓은 이해가 중요하다고 나는 믿는다.

골고루 읽기를 위해 독서모임을 활용한다. 각 회원들이 각자의 취향에 따라 책을 선정하니, 내 관심분야가 아닐 수 있다. 하지만 그 책은 나의 관심분야를 확대할 좋은 기회를 만들어 준다. 내가 자기계발서에 중독되어 있을 때 소설은 시간 낭비로만 보였다. 하지만 이후 고전 문학의 매력에 푹 빠졌고, 나는 인생과 사람에 대해 훨씬 많은 이해를 하게 되었다고 자부한다.

셋째는 필요에 따라 유연하게 읽기다.

보통 책 읽는 방법은 정독과 발췌독으로 나눠진다. 정독은 글자 하나하나, 문장 하나하나를 꼼꼼히 이해하며 읽는 방법이다. 인문학 서적은 보통 정독이 필요하다. 특히 철학서는 정독이 필수다. 이 방식의 가장 큰 장점은 무엇보다도 내용을 깊이 있게 이해할 수 있다는 점이다. 반대로 시간이 많이 소요된다는 단점도 있다. 이러한 단점 때문에 요즘은 '발췌독'이 대세다. 발췌독은 전체 중에서 핵심적인 부분만을 추려내어 읽는 방식으로, 시간 효율성에 초점을 맞춘다. 특히 정보가 넘치는 현대사회에서 빠르게 원하는 정보를 얻고자 할 때 유용하다. 실용주의적인 비즈니스 서적이나 최신 트렌드에 대한 정보를 담은 도서는 발췌 독법으로 빠르게 접근하는 것이 효율적일 수 있다. 그러나 전체 내용의 맥락을 파악하기 어려울 수 있다는 점과 중요한 부분을 놓칠 가능성도 있다는 점이 단점이다. 결국 필요에 따라 정독과 발췌독을 유연하게 선택하는 것이 좋다.

독서법과 관련한 책을 읽고 나한테 유용하다고 판단되면 써먹어 본다. 제목, 목차, 프롤로그로 책 내용을 가볍게 훑고 시작하는 것도 책에서 배운 좋은 습관이다. 나는 책을 읽다가 아니라고 판단되면 책을 접는 것도 좋은 독서법이라고 생각한다. 물론 다윈의 '종의 기원' 같이 두꺼운 책은 중도 포기하는 것보다 힘들더라도 끝까지 읽는 것이 좋을 수 있다. 벽돌 책은 웹사이트나 유튜브를 검색해서 대략적인 개요를 알고 Go, No Go를 결정하는 것도 방법이다.

나는 속독을 좋아하지 않는다. '도둑맞은 집중력'에서 요한 하리는 '빠른 속도는 적은 이해를 의미한다'라고 말했다. 페이스북, 트위터, 인스타그램, 블로그를 빠르게 스크롤 다운 하면서 빠르게 발췌독하는 것이 현대의 읽는 법이 되었다. 정보의 홍수 시대에 어쩔 수 없는 습관이지만 집중력 감소와 문해력 저하라는 글로벌 현상이 나타나고 있다. 내 독서법이 내 정신을 살찌울지 혹은 도파민 중독에 의한 것인지 냉철해질 필요가 있다.

효율적인 독서 습관 구축하기

독서는 우리의 지식을 확장하고, 사고력을 개발하며, 새로운 아이디어를 제공하는 놀라운 활동이다. 그러나 이를 일상에 녹이기란 쉽지 않다. 어떻게 하면 효과적으로 독서 습관을 구축할 수 있을까? 몇 가지 팁들을 공유한다.

첫째, 매일 일정한 시간에 독서하라.

누구나 느끼듯이 하루는 굉장히 짧다. 특히 직장인들은 하루 8시간 근무와 출퇴근 시간을 제외하고, 가족들과 함께하는 시간을 제외하면 혼자 조용하게 책 읽을 시간을 발견하기가 매우 어렵다. 나의 경우 출퇴근 시간을 무조건 독서하는 시간으로 삼았다. 출퇴근 시간이 길면 삶의 질이 떨어진다고들 한다. 하지만 나에겐 긴 출퇴근 시간이 오히려 많은 독서 시간을 제공해 주었다. 만일 아침형 인간이라면 새벽 5시에 일어나 세수하고 1시간 책을 읽는 것도 좋다. 저녁형 인간이면 뉴스가 끝나면 서재로 들어가 책을 읽어도 좋다. 일정한 시간에 독서를 하는 것은 습관을 만들기 위해서다. 독서도 습관이고 운동도 습관이다. 습관의 힘은 무섭다.

둘째, 늘 책을 가지고 다녀라.

대중교통 탑승 시나 대기시간 등 여유로운 순간마다 옆구리에 낡은 소설 한 권이 있다면 어떨까? 시간이 금방 지나갈 것이다. 요즘은 종이 책을 읽는 사람이 눈에 띌 정도로 드물다. 여유시간에 스마트폰으로 카톡을 확인하거나 게임을 하거나, 웹툰을 보는 사람들이 대부분이다. 스마트폰의 특정 앱이나 글에 집중을 한다면 모르나, 대부분 톡을 봤다가 뉴스를 검색했다가, 다른 앱을 클릭했다가 하는 식으로 수박 겉 핥기 식으로 이곳 저곳으로 점프하는 경우가 많은 것 같다. 스마트폰으로 전자책을 볼 수도 있다. 하지만 스마트폰은 우리의 집중을 쉽게 파괴한다. 대신 종이책을 읽는 순간은 몰입하기가 훨씬 용이하다.

셋째, 독서를 기분 좋은 행위로 만들어라.

책 읽기가 '해야 할 일'이 아니라 '즐길 수 있는' 활동이 되도록 만들자. 집중력이 좋다면 좋아하는 음악을 들으며, 좋아하는 장소에서 읽는 것도 한 방법이다. 습관을 만드는 가장 좋은 방법은 미국 행동주의 심리학자 B.F 스키너의 강화 학습법을 활용하는 것이 좋다. 즉 어떤 행위에 대해 기분 좋은 호르몬인 도파민이 주기적으로 생성될 수 있도록 하는 것이다. 독서를 기분 좋은 행위로 만들면 쉽게 습관이 된다.

넷째, 자기만의 루틴을 만들어라.

개인적인 루틴은 습관 형성에 크게 도움이 된다. 오전에 커피 한 잔과 함께 책 읽기가 당신의 하루를 시작하는 신호가 될 수 있다. 혹은 청하 한잔 마시며 밤새우는 책 읽기가 당신만의 야간 여유시간이 될 수도 있다. 나의 경우 도서관을 가면 열람실 창가 바로 옆자리를 선택해서 가방을 두고, 독서대를 픽업한 뒤, 독서대 아래 두꺼운 국어 대사전을 두 권 쌓고 (목 디스크 예방) 독서대를 올린 후 읽을 책을 고정한 뒤, 화장실에서 작은 일을 본 후, 손을 씻고, 갖고 온 아이스 아메리카노를 한 모금 삼킨 후 책장을 펼친다. 이 루틴이 항상 계속되고 있다.

다섯째, 독서 후 감상을 메모하라.

독서 후 감상을 메모하는 것은 책에서 얻은 정보에 대한 기억을 강화하는 좋은 방법이다. 나는 주로 기억하고 싶은 책 내용을 사진을 찍어 독서 앱에 저장한다. 특별한 느낌이 있으면 메모도 남긴다. 나중에 블로그 후기를 쓰거나 책을 출간할 때 이 기록들은 많은 도움을 준다. 내 생각과 관점을 정리하는 방법이다.

여섯째, 독서한 내용을 가족이나 친구에게 이야기하라.

나는 읽은 책 내용을 아내와 식사할 때 떠든다. 혹은 친구와 만나 커피 한잔하면서 책 내용을 공유한다. 독서한 내용을 다른 사람에게 설명하면, 그 내용에 대한 이해도가 높아진다. 그리고 상대방의 피드백을 통해 새로운 관점이나 아이디어가 발견될 수도 있다.

독서는 우리의 인생에 깊은 통찰과 지식, 그리고 새로운 시각을 제공한다. 하지만 일상 속에서 꾸준히 읽기란 쉽지 않다. 왜냐하면 독서는 집중력을 요하고, 뇌 에너지를 쓰는 활동이기 때문이다. 하지만 습관이 되면 적은 에너지로 꾸준히 할 수 있는 것이 독서다. 위의 팁들을 이용해서 독서 천재가 돼 보자.

독서를 위한 공간

독서란 무엇인가? 나는 저자와의 대화라고 생각한다. 우리가 누군가와의 대화를 위해선 음악소리가 시끄러운 나이트클럽보다는 조용한 카페가 낫듯이 독서를 위한 장소도 그런 곳이면 된다. 독서의 효과를 극대화하고, 책에서 얻은 지식과 감동을 더욱 잘 소화할 수 있는 방법을 한번 찬찬히 찾아보자.

첫째, 도서관

아무래도 '책'과 함께할 때 떠오르는 가장 대표적인 장소다. 조용한 분위기, 많은 책들, 그리고 편안한 의자가 마련되어 있어 집중력을 높이며 독서에 몰입할 수 있다. 내가 주로 다니는 도서관은 '마포중앙 도서관'이다. 2017년 개관하여 만 6년 차 된 도서관이다. 마포구에서 가장 큰 도서관답게 열람실뿐 아니라 멀티미디어실, 대형강연장, 세미나실, 모임방, 음악, 공예, 무용 등 각종 배움터, 어린이 유아 자료실, 키즈카페, 갤러리 그리고 구내식당 및 편의점까지 없는 시설이 없다. 단, 열람실에서 옆 사람의 노트북 키보드나 마우스 소음이 독서를 방해할 때가 있는데 이때는 정중히 멀티미디어 실로 옮겨 줄 것을 부탁하면 된다. 공공도서관이든 대학도서관이든 혹은 동네 작은 도서관이든 독서를 위한 가장 좋은 장소는 도서관이다.

둘째, 개인 사무실 또는 방

나만의 공간에서 혼자 집중해서 읽는 것도 좋다. 개인적인 시간을 보장받으며, 주변 소음으로부터 벗어날 수 있다는 점이 큰 장점이다. 단, 가족이 있을 경우 방해 받을 수 있고, TV, 아이패드, 스마트폰 등 전자기기들이 집중을 방해할 수 있으니 조심해야 된다. 집에서 독서하는 경우는 강한 의지력을 필요로 한다. TV의 유혹도 크고, 주전부리를 찾는 하이에나인 스스로를 발견할 때도 있다.

셋째, 공원 또는 자연 속

신선한 공기와 아름다운 경치를 보며 독서를 즐길 수 있다. 과거에 영국을 여행할 때, 런던 하이드 파크나 켄싱턴 가든에서 중년이나 노년 분들이 잔디밭이나 벤치에서 책을 읽는 모습을 보고 부러워한 적이 있다. 우리나라도 이제 도심 속 공원이 많아졌다. 하지만 종이책을 읽는 사람은 거의 없고 대부분 개를 산책하거나, 돗자리를 깔고 뭘 먹거나, 혹은 아이들과 놀이를 한다. 자연의 평온함을 독서를 위한 집중력으로 바꾸면 어떨까?

넷째, 일반 카페

아메리카노나 카푸치노 커피와 함께 조용히 책을 읽을 수 있는 장소는 역시 카페다. 요즘은 카페에서 독서뿐만 아니라, 글쓰기, 리포트 쓰기 등 다양한 활동을 하는 것을 본다. 단, 음악소리가 너무 크거나, 옆 테이블 대화 소리가 너무 클 경우 독서의 효율이 떨어질 수 있다. 그리고 커피 구입 비용이 꾸준히 지불되어야 하므로 다소 경제적 부담이 될 수도 있다.

다섯째, 북 카페

가지고 온 책이 없다면 북 카페에 비치된 책을 읽는 것도 좋다. 요즘 북 카페가 많이 생겼다. 출판사에서 운영하는 북 카페도 있다. 세계 3대 커피인 자메이카 블루마운틴, 하와이안 코나, 예멘 모카를 원두로 하는 드립 커피 전문 북 카페이면 향긋한 커피향과 책 향기에 취해서 명상에 잠겨도 좋다.

여섯째, 해변

예전에 발리, 푸켓, 코타키나발루로 여름휴가를 갔을 때, 해변 비치 파라솔 아래에서 책을 읽는 외국인들을 많이 보았다. 유럽의 은퇴 노인들에겐 해변 독서가 아주 평범한 일상인 듯하다. 무엇보다도 그 여유가 부러웠다. 분명히 파도 소리를 들으며 독서하는 것은 특별한 경험이 된다. 완전히 다른 분위기에서 색다른 감성으로 작품을 접하게 되니 기억에도 오래 남을 것 같다. 단, 해변 독서를 위해서는 혼자 여행하는 것이 좋을 것 같다. 가족 여행의 경우, 아내나 가족들에게, 서로 챙겨주지 않고 한가하게 혼자 책만 읽는 남편이나 아버지가 미워 보일 수도 있다.

일곱째, 전철

출퇴근 시간을 활용해 독서를 즐기면, 시간도 효율적으로 사용하고 지루함도 덜 수 있다. 내가 과거에 주로 독서시간을 확보하던 곳곳이다. 직장이 강남구 역삼동일 때는 2호선 순환선을 따라 편도 기준 약 1시간 정도 책을 읽을 수 있었다. 요즘은 전철 안에서 독서하는 사람이 거의 보이지 않는다. 대부분 스마트폰을 본다. 하지만 전철의 덜컹거리는 화이트 노이즈는 집중에 도움을 준다. 그렇게 전철에서 읽은 책이 수백 권이다. 단, 러시아워의 만원 전철에서는 독서가 쉽지 않다. 그때는 스마트폰을 보거나 잠깐 명상에 잠기면 된다. 보통 환승역에 자리가 나기 마련이다. 짬을 내기 어려운 바쁜 직장인에게 전철만큼 괜찮은 독서 공간은 드물다.

여덟째, 비행기

나는 해외 출장이나 여행을 갈 때 꼭 책 몇 권을 챙겨 간다. 인천-자카르타 비행시간이 약 7시간, 인천-두바이가 약 10시간, 인천-파리가 약 13시간이다. 책 읽기엔 더없이 충분한 시간이다. 공항 라운지나 게이트 앞 로비도 책 읽기 좋다. 비행기 내의 화이트 노이즈가 집중에 도움을 주고 무엇보다 조용해서 집중이 잘 된다. 책 읽기가 지루할 때는 기내 영화를 봐도 좋다.

아홉째, 아파트 발코니나 정원이 있는 단독 주택 마당

우리나라에서는 사실 좀 어렵겠지만, 유럽에서는 여기서 독서하는 분들 많이 봤다. 발코니나 마당이 북한산을 접하고 있어 새소리도 듣고 햇살과 바람을 느낄 수 있다면 독서의 맛은 한층 배가 될 것이다. 도시 근교의 타운하우스 같은 곳에서는 이런 로망이 현실이 될 수 있을 것이다.

열번째, 대형 서점 혹은 독립 서점

다양한 종류의 책들과 함께하며, 필요할 때마다 다른 책으로 바꿔 가며 읽을 수 있다. 요즘 대형 서점은 책을 읽을 수 있는 테이블과 의자가 있는 곳도 있다. 코로나 이후에 많이 없어지긴 했다. 나의 경우 직장이 광화문 근처에 있었을 때 주로 퇴근 길에 광화문 교보문고에서 신간을 읽곤 했다. 다양한 신간을 뒤적거리며 최신 트렌드를 추적하는 것도 재미있다. 책이 흥미롭고 소장 가치가 있다고 판단되면 바로 구입하면 된다.

사실 독서는 어디서든 가능하다. 단지, 그 장소가 우리에게 얼마나 편안한가, 우리의 집중력과 몰입력을 높여 주는가만 중요할 뿐이다. 자신의 루틴에 맞는 최적의 독서 장소를 만나서 삼매경에 빠지길 바란다.

책을 고르는 방법

읽을 책을 어떻게 고를 것인가? 책을 고르는 것은 친구를 사귀는 것과 같다. 우리는 사람을 사귈 때 신중하다. 왜 그럴까? 그건 그 사람과의 관계가 내 삶에 영향을 미칠 수 있기 때문이다. 책도 마찬가지다. 책을 읽는 것은 시간을 들이는 행위다. 시간 뿐만 아니라 집중력과 에너지도 필요로 한다. 인생은 짧다. 하지만 읽을 책은 어마어마하게 많다. 그러니 우리는 책을 고를 때 신중할 수밖에 없다. 책을 잘 고르는 방법에 대해서 한번 알아보자.

첫째, 독서의 목표를 명확히 해야 한다.

'2차 세계 대전에 관한 나의 호기심을 채우기 위해서', '장자와 관련한 책을 쓰기 위해서', '이탈리아를 1주일 여행하기 위해서', '스페인어를 배우기 위해' 등 과 같은 여러 목적이 있을 것이다. 혹은 그냥 '울적한 마음을 달래기 위해서', '한가한 시간을 때우기 위해서' 도 독서의 목적이 될 수 있다. 책 선정은 목적 달성과 연계되는 것이 바람직할 것이다. 한가한 시간을 때울 목적인데 900 페이지짜리 전문 서적을 볼 필요는 없다.

둘째, 본인의 관심사를 반영한 책을 고르자.

만일 특별히 관심 있는 주제가 있다면 그 주제와 관련된 책을 선택하자. 독서가 훨씬 더 재미있고 유익할 것이다. 당연한 이야기 같지만 알면서도 잘 실천하지 못하는 경우가 많다. 철학에 관심이 있는데 사는 책은 자기 계발서이다? 역사에 관심 있는데 구입하는 책은 재테크 서적이다? 관심 분야와 필요한 분야는 다를 수 있다. 내 마음 깊은 곳 진정한 관심사가 무엇인지 찾아내는 것이 중요하다.

셋째, 작가에 대한 정보를 확인하자.

우리는 보통 책 제목에 낚이는 경우가 많다. 출판사에서 가장 신경 쓰는 것도 책 제목이다. 그래서 책 제목만 보고 무턱대고 샀다가 알맹이는 형편없는 책을 만나기도 한다. 하지만 작가의 프로필을 보면 그가 어느 분야에 전문가인지 잘 알 수 있다. 혹은 작가의 글쓰기 스타일과 세계관이 나와 잘 맞는지 확인하는 것이 좋다.

넷째, 목차를 보자.

작가가 글을 쓸 때, 출판사의 요구에 따라 가장 먼저 작성하는 것이 목차(차례)다. 작가는 그 목차의 각 항목에 따라 글을 채워 나간다. 그러므로 목차만 봐도 책 내용, 적어도 큰 줄기를 파악할 수 있다. 그러므로 책을 고를 때는 목차는 반드시 확인하는 것이 좋다.

다섯째, 서평이나 후기를 참고하자.

서평이나 후기를 읽어 보는 것도 좋다. 물론 소설의 경우 스포일링을 조심할 필요가 있다. 혹은 유튜브나 팟빵에서 책 내용을 대략 파악하는 것도 좋다.

고르려는 책을 읽은 블로거의 후기를 읽어보면 책에 대한 감이 잡힌다. 북 리뷰 글을 자주 올리는 이웃의 블로그 글을 참고하면 좋다. 추천 글도 참고해도 좋지만 대부분 추천 글은 칭찬 일색이므로 너무 거기에 현혹될 필요는 없다.

여섯째, 프롤로그를 읽어 본다.

구입할 책이라면 서점에서 프롤로그를 읽어보면 저자가 책을 쓴 동기, 대략적인 내용 등이 나와 있다. 물론 문학이나 고전은 예외다. 샘플 읽기 역시 유용하다. 서점에서 해당 책 첫 페이지를 읽어보는 것도 좋은 방법이다.

일곱째, 출판사를 참고하자.

출판사의 신뢰성은 책의 품질을 보장하는 한 요소이다. 그리고 번역서의 경우 같은 작가라고 해도 번역가나 출판사에 따라 책의 질이 달라지는 경우가 있으니, 이를 고려하여 신중하게 선택할 필요가 있다.

여덟째, 책의 분량을 고려하자.

800페이지 이상의 두꺼운 책을 도서관에서 빌릴 때는 상관없지만, 구입할 때는 신중해야 한다. 나의 경우 고전에 대한 의욕에만 불타서 구입한 장 자크 루소의 '에밀' (888 페이지), 헤로도토스의 '역사' (994 페이지), 호메로스의 '일리아스' (840 페이지), E.H 곰브리치의 '서양미술사' (687 페이지)를 아직도 전혀 읽지 못하고 책꽂이에만 꽂아 두고 있다. 모두 산 지 10년이 넘은 책들이다. 벽돌책은 집에 도둑이 들었을 때 무기로 쓸 게 아니면 신중하게 구입하자. 두꺼운 책을 많은 시간을 투입하여 읽는 데는 꽤 인내심과 집중력을 요구한다.

아홉째, 어려운 철학 책이나 사상서에 도전할 때는 쉬운 책으로 기본기를 익히자.

예를 들어 서양 철학에 대한 공부를 한다면 먼저 '지적 대화를 위한 넓고 얕은 지식' (채사장) 같은 입문서, 즉, 이해가 수월한 책부터 고르는 게 좋다. 혹은 '철학 콘서트' 같은 가벼운 교양서를 먼저 읽는 것도 좋다. 처음부터 어려운 책에 도전하다 보면 아예 그 분야에 관심이 식어버릴 수도 있다. 청소년을 위한 동명의 책을 읽는 것도 현명하다. 책 읽기가 고역이 돼선 안 된다.

열 번째, 자신의 내면을 반영하여 책을 고르자.

나의 경험이나 현재 감성 상태를 충분히 들여다본 뒤, 펼칠 수 있는 책을 골라야 한다. 어떤 책이 현재의 나에게 바람직한 메시지를 줄 수 있을지 고민해 봐야 한다. 예를 들어 AI 같이 정이 없는 직장 상사에 불만이거든 브라이언 헤어의 '다정한 것이 살아남는다'를 읽으면서 스스로를 위로하는 것이 좋다. 어머니가 문득 생각날 때는 미셸 자우너의 'H마트에서 울다'를 읽어도 좋다.

책은 우리의 마음과 생각을 넓혀주는 창이다. 위에서 제시한 10가지 방법들을 잘 활용하여 자신에게 맞는 훌륭한 책을 골라 소정의 목적을 달성해 보자.

앱과 블로그를 이용한 독서 기록

책을 읽은 후 책장을 접고 끝내는 것과 감상을 기록해 두는 것은 엄청난 차이가 있다. 인간이란 망각의 동물이기 때문에 시간이 지나면 기억이 흐릿해진다. 이미 얘기했듯이 나는 책을 구입해서 집에 가져왔다가 집에 같은 책이 꽂혀 있는 경우가 있었다. 인간의 기억력은 유한하다. 어떤 작가 분은 자기가 쓴 책 내용도 시간이 지나면 가물 가물 하다고 했다. 그래서 뇌의 외장하드 역할을 할 수 있는 도구가 필요하다.

나의 경우 독서 후 기록처는 세 곳이다. 책에 직접 메모하기, 독서 다이어리 앱에 기록하기 그리고 블로그의 독서 리뷰다.

책에 직접 메모하기

2016년까지 나는 책을 주로 사서 봤다. 알라딘에 중고서적으로 다시 팔 생각은 없었다. 책장에 가득 꽂혀가는 책들을 보며 내 지성의 확장에 뿌듯했다. 책을 읽다가 밑줄도 긋고 여백에 메모도 하면서 꼼꼼하게 읽었다. 오랜 시간이 흐른 후 다시 펼쳐 보면 그 당시 나의 생각이 유치하기도 하고, 낯설기도 하고, 재미있기도 했다.

그러다 보니 책장의 책은 점점 불어나 엔트로피 증가의 법칙에 따라 무질서하게 쌓여갔다. 이중으로 꽂다 보니 안 쪽 책은 잊혀졌고, 온갖 사진과 잡동사니가 책 앞을 점령하니 책은 점차 서재의 조연이 되어 갔다. 그러다가 사사키 후미오의 '나는 단순하게 살기로 했다'를 읽고 결심했다. '책을 사는 걸 멈추고 도서관에서 빌려 봐야겠다.' 그래서 내 서재의 책들은 모두 2016년 이전에 구입한 책들이고 책에 밑줄과 이런저런 메모들이 발견된다.

독서 다이어리 앱 기록

도서관에서 빌린 책에는 메모를 할 수가 없다. 그래서 생각해 낸 것이 독서 다이어리 앱이다. 이 앱에 책에서 기억하고 싶은 문장을 사진으로 찍어 저장한다. 그리고 소설의 등장인물 리스트를 저장하기도 하고 저자의 글에 내 의견을 메모해 놓기도 한다. 책에 메모하면 다음에 찾기가 힘들다. 독서 앱의 가장 편리한 점은 메모 검색의 용이함이다. 그리고 내가 책을 읽은 시기도 알 수 있다. 하지만 내 모든 독서 메모 데이터가 스마트폰 하드에만 저장되어 있기 때문에 수시로 백업해 놓지 않을 경우, 스마트 폰을 잃어버리면 낭패가 된다. 이 점이 이 독서 앱의 아쉬운 점이다.

블로그 독서 리뷰

독서 리뷰를 남기는 플랫폼으로 블로그만큼 편하고 좋은 것이 없다. 나의 독서 역사가 블로그에 차곡차곡 쌓인다. 블로그로 쌓인 독서 리뷰들은 나중에 묶어서 책으로 낼 수도 있다. 독서 앱만 쓸 때는, 인상깊은 내용을 발췌해서 메모해 두는 양이 내 의견을 피력하는 양보다 훨씬 많았다. 하지만 내 블로그는 단순한 책 소개일 뿐만 아니라 내 생각과 의견 피력에 비중을 두고 작성한다.

책을 통해 스스로가 변화되어야 한다고 믿기 때문에 책 내용을 소화하고 실천하고자 노력한다. 문학은 등장 인물을 내 관점에서 비판할 수 있어야 하고, 역사는 맥락과 시사점을 도출할 수 있어야 하고, 철학은 내 주관과 비교 분석해 보아야 한다. 100% 받아들이기만 하는 독서는 해롭다. 나만의 관점으로 해석하고 판단해서 내 것으로 만들어야 한다. 이런 활동을 위해서는 블로그 리뷰 글쓰기가 최고다.

독서 후 메모와 기록의 1차 목적은 기억이지만 최종 목적은 나만의 철학으로 소화시키는 것이다. 블로그 글쓰기를 하면서 달라진 점은 내 생각이 정리되고 질서가 잡힌다는 것이다. 어렴풋했던 개념, 정의, 견해가 다이아몬드처럼 단단해지는 느낌이다. 이런 느낌이 좋다. 예전에는 40대가 흔들리지 않는 불혹이라고 했는데 그 불혹이 나한테는 50대에야 찾아오는 것 같다. 독서덕분이다.

세상에 존재하는 약 1억 3천만권의 책 중 내가 읽은 한 권의 책은 바닷가의 모래알이다. 하지만 나라는 소우주에 그 책은 태양이 될 수도 있고 달이 될 수도 있다. 내가 1000권의 책을 읽었다면 그 책들은 '나'라는 우주에 별이 되어 박힌다. 지구에 가장 큰 영향을 주는 별은 태양과 달이다. 한때는 '철학에세이'가 나의 태양이었지만 지금은 '그리스인 조르바'로 바뀌었다. 하지만 언제 또 다른 태양이 탄생할지 모른다. 찬란한 태양과 달을 만나기 위해 떠나는 여정은 설레고 즐겁다. 죽기전에 나만의 태양과 달을 한 열 번은 더 만나는 행운이 있기를 기도한다.

독서 슬럼프 극복 방법

책이 손에 안 잡히는 날이 있다. 소위 말해 '독서 슬럼프'다. 독서 슬럼프가 오는 이유는 여러 가지가 있겠지만 가장 큰 것이 '불안'이다. 독서는 고도의 집중력을 요하는 행위다. '불안'은 우리의 집중력을 방해한다.

고 노무현 대통령의 유서에도 당시 그분의 불안과 고통을 느낄 수 있다.

> 너무 많은 사람들에게 신세를 졌다.
> 나로 말미암아 여러 사람이 받은 고통이 너무 크다.
> 앞으로 받을 고통도 헤아릴 수가 없다.
> 여생도 남에게 짐이 될 일 밖에 없다.
> 건강이 좋지 않아서 아무것도 할 수가 없다.
> 책을 읽을 수도 글을 쓸 수도 없다.
> (중략)
>
> 출처: 고 노무현 대통령 유서

불안은 영혼을 잠식한다고 했다. 독서는 영혼의 활동이기 때문에 불안은 독서의 가장 큰 적이다. 또 다른 이유는 '의욕 감퇴'다. 육체적 피로 때문일 수도 있고, 호기심이나 흥미의 급격한 감소 때문일 수도 있다. 내가 해외 영업이라는 업무에 신나게 매진할 때 읽은 책이 '볼모 지대'와 '불씨'였다. 볼모 지대는 일본 상사맨의 이야기인데 해외 영업과 일맥 상통하는 스토리였고 나의 흥미를 북돋웠다. 또 한때 컨설팅 회사 '베인 & Co'와 회사 전략을 짤 때는 '위험한 경영학' 혹은 '컨설팅 절대 받지 마라'라는 책을 읽었다. 모두 호기심 때문이었다. 뭔 가에 호기심이 없는 사람은 새로운 정보에 대한 니즈가 약할 수밖에 없다. 책을 읽는 원동력은 기본적으로 세상에 대한 호기심이다.

때때로 부딪히곤 하는 '독서 슬럼프'라는 벽을 어떻게 극복할지 방법에 대해 생각해 보았다.

첫째, 책이 안 읽히면 접어도 된다.

독서는 우리의 자유의지에 따른 것이다. 강박관념을 버려야 한다. 시험을 치고 자격증을 따기 위해 하는 독서는 '일'이다. 일은 억지로라도 해야 한다. 하지만 내 영혼을 위한 독서는 강제로 애써서 할 필요가 없다. 출판사와 계약에 의한, 서평 목적의 책 읽기는 돈을 벌기 위한 일이다. 스트레스를 받겠지만 읽고 마감에 맞춰야 한다. 하지만 어떤 책을 읽기 시작했으나 내 관심을 끌지 못하면 접고 다른 책으로 넘어가도 된다. 세상에 재밌는 책은 차고 넘친다.

둘째, 평온한 마음 상태를 만들어라.

서두에서 언급했듯이 독서를 방해하는 가장 큰 요인은 불안이다. 독서 슬럼프를 극복하는 데 중요한 것 중 하나가 '마음의 평온함'이다. 나의 시선을 외부에서 내면으로 옮길 필요가 있다. 차분하게 숨을 들이마시며 몸과 마음을 편안하게 하는 명상 등으로 불안을 제거하고 독서에 몰입할 수 있다.

셋째, 잠을 푹 잔다.

육체적 피로도 독서를 방해한다. 충분한 휴식 없이 집중력은 생기지 않는다. 회사에서 야근하고 밤 늦게 퇴근할 때는 책을 펼칠 기운이 생길 리 없다. 요즘은 퇴근길 전철에서 종이책을 펼치는 사람은 전통시장에서 양복 입은 사람 보는 것만큼 드물다. 수면 부족은 육체 피로의 큰 원인이다. 평소 잠을 최소한 일곱 시간은 자면서 몸 컨디션을 최상으로 유지해야, 회사일도 하고 남은 에너지로 독서도 할 수 있다.

넷째, 생계를 먼저 해결한다.

불안의 가장 큰 원인은 생계의 위기일 것이다. 먹고살기 바쁘면 책 읽을 여유도 없어진다. 그렇게 보면 독서는 회사원이 자영업자보다 조금 유리하다. 요즘 젊은 세대들은 워라밸을 중시하고 왠만하면 칼퇴근이기 때문에 마음만 먹으면 언제든 독서할 시간을 확보하기가 어렵지 않다. 한편 자영업자 중에서도 여유시간이 많은 분들은 책을 잡기 쉽다. 공인중개사 하시는 분들 중에 블로거가 꽤 많은 것도 그 이유다. 하지만 계속 움직이며 역동적으로 일해야 하는 일용직, 운전기사, 택배 배달원 같은 분들께 독서는 언감생심이다. 생계문제가 해결되어야 마음이 편해진다. 마음이 편해야 독서에 더 집중할 수 있다.

다섯째, 분량이 작은 책을 읽는다.

독서 슬럼프에 빠졌는데 칼 세이건의 '코스모스' 같은 두꺼운 책을 붙잡는 것은 어리석다. 분량이 많은 책은 때때로 큰 압박감을 준다. 200 페이지 미만의 가벼운 에세이나 단편 소설집을 읽는 것이 슬럼프를 탈출하기에 좋다.

여섯째, 만화를 보거나 영화를 본다.

만화와 영화도 좋은 선택이다. 다양한 시각적 자극과 함께 스토리를 체험하면서 독서에 대한 감각을 유지하는 것이다. '미 비포 유' 같은 영화를 본 후, 동명의 소설을 읽어보자. 색다른 느낌을 가지면서 점점 독서 삼매경에 빠지는 것도 좋다.

일곱째, 글쓰기에 집중하면서 필요한 책 중심으로 본다

책 출간을 위한 글쓰기를 하다 보면 사실 독서할 시간을 확보하기 힘들 때가 있다. 이럴 때는 글쓰기에 집중하면서 관련 책을 발췌독하는 것도 좋다. 즉, 필요한 정보 위주로만 접근하는 것이다. 요즘 내가 이런 상황이다. 글쓰기는 독서보다 더 많은 집중력을 요한다. 이 시기는 책도 잘 안 읽힐 수가 있다. 글감을 제공하기 위한 선별적 독서가 필요한 이유다.

여덟째, 모임을 활용한다

독서 모임에서 토론을 하려면 책 내용을 알고 가는 편이 좋다. 물론 바빠서 책을 읽지 못했어도 독서 모임에 참석할 수는 있다. 호스트가 책 내용을 발췌하고 세심하게 논제를 준비하면 책을 못 읽은 회원도 참여하는데 전혀 문제없다. 그러나 그렇지 않은 경우에 독서 모임 날짜는 독서 마감 날짜가 되어 집중력을 높여준다. 모임 때문에 어쨌든 책을 읽어야 하므로 자연스럽게 슬럼프에서 벗어날 수 있다.

아홉째, 독서 목표를 설정한다.

꼭 독서 뿐만이 아니라 회사일도, 인생 계획도 뚜렷한 '목표'가 있다면 '목표의식'이 생기고 이를 통해 슬럼프 없는 집중의 지속이 가능하다. 읽을 책 Best 10권을 리스트 해서 한 권 한 권 목표를 채워 나가는 것도 좋고, '올해 50권 독파', 이런 식으로 정량적으로 가도 좋다. 하지만 너무 큰 압박 없이, 자신의 속도에 맞추어 현실적인 목표를 설정하는 것도 중요하다.

열 번째, 다양한 장르 탐색하기

항상 같은 장르의 책만 읽다 보면 지루함을 느낄 수 있다. 다양한 장르의 책을 탐색하며 새로운 관심사를 찾아보는 것도 좋은 방법이다. 나 같은 경우 인문학 책을 주로 읽지만, 가끔은 자기 계발서도 읽고 어른을 위한 그림책도 본다. 또는 내년에 가고 싶은 여행지의 여행안내서를 미리 읽어 보기도 한다. 다양한 장르를 섭렵하다 보면 새로운 호기심이 생기고, 뜻밖의 신세계를 발견할 수도 있다.

독서 슬럼프는 언제든 우리에게 찾아올 수 있다. 하지만 위에서 제시한 10가지 전략들은 그러한 시기를 극복하는 데 도움이 될 것이다. 결국 가장 중요한 것은 '독서의 즐거움'이다. 당신의 페이스에 맞춰서, 당신만의 방식으로 책과 친해지자.

독서와 건강

마음의 양식을 쌓기 위한 독서를 잘 못하면 건강에 부정적인 영향을 끼칠 수 있다. '독서와 건강'에 대해 한번 이야기해 보자

눈 건강 보호하기

잘못된 독서는 눈 건강에 해롭다. 책 읽을 때 조명이 매우 중요하다. 너무 어둡거나 밝으면 눈에 부담이 간다. 조명은 충분하지만 과하지 않게 설정하는 것이 좋다. 또한 너무 오랫동안 눈을 쉬지 않고 책을 읽는 것도 좋지 않다. 50분 읽고 10분 정도 눈을 쉬어 주는 것이 좋다. 쉴 때는 6미터 이상 멀리 보거나 정원 등 초록색을 보는 것이 좋다.

그리고 요즘은 시대가 디지털화되면서 스마트폰이나 노트북으로 글을 읽는 사람들이 많아졌다. 디지털 기기들의 문제점은 '블루 라이트'라는 푸른빛이다. 이 빛은 우리의 수면 패턴에 상당히 부정적인 영향을 준다. 특히 스마트폰의 자극적인 점멸 화면이 문제다. 또한 취침 직전에 30분 이상 보는 화면도 수면에 나쁜 영향을 준다. 심지어 수면 도중에도 카톡이나 페이스북을 확인하는 사람이 있는데 이는 수면에 치명적인 나쁜 습관이다. 노트북이나 스마트폰 화면에

서 방출되는 블루 라이트는 수면 호르몬인 '멜라토닌' 분비를 억제한다는 연구결과도 있다. 스마트폰, 노트북 그리고 TV 등 디지털 기기 중독에서 벗어나는 것이 건강에 바람직하다. 나는 전자책보다는 종이책 읽기를 추천한다. 종이책은 디지털 기기와 달리 자연스러운 광원에서 읽히고 블루 라이트 문제도 없다.

목 디스크 예방하기

어느 날 목덜미에 통증이 지속되어 정형외과를 찾았다. 의사로부터 목 디스크 및 거북목 증후군 진단을 받았다. 원인은 독서 및 노트북 작업 시 오랫동안 목을 앞으로 숙이는 자세였다. 장시간 앉아있다 보면 자연스럽게 목과 어깨가 아파온다. 이럴 때 필요한 것이 바로 독서대이다. 독서대는 책을 읽을 때 눈의 높이에 맞춰 책을 세워주는 역할을 한다. 이를 통해 목과 어깨의 부담을 줄일 수 있다.

척추 건강 지키기

'의자의 배신'이라는 책이 있다. 호모 사피엔스는 2백만 년 동안 서서 돌아다니도록 진화되어왔다. 한자리에 가만히 앉아 있는 자세는 100년도 채 안 되었다. 장시간 같은 자세로 앉아있다 보면 척추에 문제가 생길 수 있으니 시간마다 일어나서 스트레칭을 하는 것이 좋다.

카페인 중독 피하기

카페인 중독도 독서인들의 문제이다. 졸림을 극복하기 위해 커피를 마시는 사람들이 많아졌다. 과도한 카페인 섭취는 건강에 해롭다. 대신, 아로마 테라피나 간단한 운동, 물 한잔 마시기 등 다양한 대안으로 졸음을 극복하려고 노력해야 한다. 아로마 테라피에서 사용되는 에센셜 오일 중 일부는 집중력 향상과 기분 개선에 도움이 될 수 있다.

결국, '건강'과 '독서'는 상호 보완적인 관계이다. 건강한 몸과 마음 속에서 비롯된 여유가 진정한 독서를 가능하게 하며 반대로 올바른 독서 습관은 우리의 건강을 지켜준다.

Chapter 5.
아직도 가슴 떨리는 10권의 책

철학 에세이 (편집부)

'철학 에세이' (편집부 지음)라는 제목의 이 책을 사서 읽은 것은 대학 1학년 신입생 때였다. 1989년이다. 고등학교 2학년 때 6월 항쟁이 있었고, 전두환 정권에서 노태우 정권으로 바뀐 지 2년이 지났다. 하지만 설레는 마음으로 밟은 캠퍼스는 '전두환, 노태우 정권 물러가라!'라는 구호와 최루탄의 매캐한 내음으로 나를 맞아 주었다. 신입생 오리엔테이션에 민주투사 백기완 선생의 강연이 있었고, MT 때는 선배들로부터 운동가요 (헬쓰클럽에서 부르는 가요가 아 아니 시위할 때 부르는 가요다.)를 배웠다. 모든 신입생들이 그랬다. 그때 신입생들의 추천 필독서라는 것이 있었는데, 그때 읽은 책이 '거꾸로 읽는 세계사'(유시민), '스스로를 비둘기라고 믿는 까치에게'(김진경), '해방전후사의 인식'(송건호), '철학 에세이' 이런 책이었다.

네이버로 검색해 보니 '철학 에세이'는 개정 4판으로 아직까지 출간 중이다. 1983년에 최초 출간 시 저자 이름 없이 '편집부 지음'이라고 했던 이유를 아는가? 당시는 변증법, 유물론 이런 용어가 들어가는 책은 모두 '빨갱이 서적' 혹은 '의식화 서적'으로 낙인 찍혀서 작가가 옥고를 치르는 일이 비일비재하던 시절이었기 때문이다.

산 지 34년 된 책이라 내지가 누렇게 바랬다. 한 장 한 장 부서질 듯 삭은 책장들을 넘겨본다. 어려운 철학 개념을 쉽게 이해시키고자 여러 사례들을 제시한 책이다. 저자가 쉽게 쓸려고 참 애를 썼다는 생각이 든다. '대립물의 통일', '내적 모순', '생산력과 생산관계의 모순' 등. 참 어려운 개념이다. 흥미로운 점은 이런 법칙을 활용하여 '죽음'도 설명했다는 점이다.

> 그렇다면 살아 있는 사람이 왜 죽을까요? 산 사람이 죽는다는 것도 하나의 변화이며 이러한 변화의 근본 원인 역시 사물의 내적 모순에서 찾아집니다. 사실 생명이란 죽음과의 투쟁입니다.
>
> (중략)
>
> 이처럼 생명이라는 것은 생명과 죽음이라는 두 대립물의 통일이며 이것이 바로 생명의 내적 모순입니다. 또한 이러한 두 대립물의 투쟁을 통해 죽음이 생명을 극복했을 때 사람은 죽습니다. 이처럼 산 사람이 죽는 것도 생명이 가지고 있는 내적 모순에 의하여 일어나는 변화입니다.
>
> 출처: '철학 에세이' (편집부), P 68

이 책에서 중요한 개념의 하나는 '내적인 모순이 변화의 근거이며 외적인 원인은 변화의 2차적인 원인에 지나지 않는다.'라는 것이다. 이 개념은 당시 갓 성인이 된 대학 초년생에게 상당한 힘과 에너지를 주었다. 다시 말해 '외부 요인을 탓하지 말고 너 스스로의 내적 모순을 타개하기 위해 주체적으로 열심히 투쟁하면 너는 성장하고 발전할 것이다'라는 긍정적인 메시지로 당시 나는 받아들였다.

그리고 더 중요한 개념은 다음이다. 이 책에 '한 올의 실이 천이되기까지'라는 글이 나온다.

> 그러면 실이 천으로 변화하는 것은 어떻게 해서 되는 것일까요? 그것은 실이 한 올 두 올 계속 겹쳐지는 양적 변화를 통해서 천이라는 새로운 질적 상태에 도달하는 것입니다. 다시 말해서 양적 변화의 축적을 통해서 질적인 변화가 일어난 것입니다.
>
> 출처: '철학 에세이' (편집부), P115

내가 이 책에서 이 문장을 읽은 지 34년이나 흘렀다. 그 긴 세월동안 이 문장은 나에게 축복이자 은총이었다. 그것도 여러 번이나. 당시 이 문장은 나에게 '뭔가를 꾸준히 계속 하기만 하면 어느 순간에 나는 질적으로 변화되고 결국 성공할 것이다.'라는 확신을 심어 주었다. 물론 세속적이고 자기 계발적인 믿음이다. 당신 나는 부산에서 올라온 순박한 촌놈이었다. 하늘 높이 솟은 빌딩 숲의 서울, 나보다 똑똑해 보이고 잘나 보였던 신입생 동기들, 이 모든 것에 주눅 들어버린 나에게 이 문장은 먹구름 사이에 비치는 한 줄기 햇살과도 같았다.

'그래 꾸준히 해서 양을 늘리자! 공부든, 일이든, 관계든..., 임계점을 넘어서 질적 변화를 만들 때까지!!' 늘 힘들 때가 있었고, 포기하고 싶을 때도 많았지만, 이 문장을 믿었고 시간의 힘을 믿었다. 군대 상병 때 우연히 고참이 소개해 준 '굿모닝 팝스'라는 라디오 프로를 10년 넘게 하루도 안 빼고 청취했다. 그때 외운 팝송과 영화의 영어 표현들과 직장에서 꾸준히 연마한 영어 회화로 마침내 해외 영업부로 직무를 옮겼다. 질적 변화가 일어난 것이다. 생계형 공과 남자가 마침내 다른 길을 찾은 것이다. 그리고 퇴직하기 10년 전부터 인문학 책을 읽었고, 도서관 인문학 강연을 들었다. 퇴근 후 그리고 주말에 책을 읽고, 사색하고, 꾸준히 성찰하는 생활을 했다. 그리고 퇴직 후인 지금 책을 출간한다.

사실 '철학 에세이'의 주 메시지는 사회 진보 이론, 역사 발전 이론과 관련된 것이다. 노동자와 자본가의 내적 모순, 제국주의의 모순과 그 해결 방안에 관련된 것이다. 하지만 나는 이 책에서 내 삶에 필요한 내용만 쏙 빼먹었다. 체리피킹(Cherry Picking) 이라고도 한다. 당초 저자가 책을 쓴 의도와 나의 활용법은 안 맞을 수도 있다. 하지만 전혀 문제가 안된다. 책은 저자가 낳은 아이지만 아이는 독립된 인격체다. 책과 독자의 대화나 관계 맺음을 작가가 간섭할 수도 간섭할 필요도 없다. 만일 저자가 내 책은 반드시 이렇게만 해석되어야 한다고 주장한다면 그것은 마치 '내가 낳은 자식이니 내 마음대로 하겠소.'라고 하는 그릇된 생각을 가진 부모와 같다.

책의 놀라운 점은 그 내용 전체나 일부가 한 개인에게 선한 영향력을 행사하고 그의 삶을 긍정적으로 바꿔 줄 수도 있다는 것이다. '철학 에세이'는 나에게 단순히 철학 입문서가 아니라 내가 삶을 버텨내고 내달려갈 수 있게 6기통 엔진이 되어준 책이다. 오래된 책들은 알라딘에 팔든지, 기증을 하든지, 폐지 아저씨께 드리는데, 이 책만큼은 아직 나의 책장에 굳건히 꽂혀 있는 이유다.

그리스인 조르바 (니코스 카잔차키스)

고전 중 내가 가장 좋아하는 소설이 '그리스인 조르바'이다. 나의 독서 다이어리 앱 평점이 유일하게 5점 만점인 소설이다. 내 블로그 닉네임 '졸바맨'도 '조르바를 사랑하는 사람'이라는 뜻이다. 이 책은 읽은 때는 2018년이었다. 벌써 6년이 지났지만 이 소설을 읽은 직후 느꼈던 환희와 감동은 아직도 잊을 수 없다. 한마디로 나는 조르바 홀릭이자 그의 광팬이다.

'니코스 카잔차키스'는 '20세기 문학의 구도자'로 불리는 그리스 현대 문학을 대표하는 작가이다. 그리스 크레타섬 이라클레이온에서 태어난 그는 터키의 지배 아래 어린 시절을 보내며 독립전쟁, 기독교인 박해 사건 등 많은 일을 겪는다. 일제 강점기에 시인 윤동주가 느꼈을 법한 나라 잃은 설움이었을 테다. 작가는 사상적으로 호메로스와 베르그송, 니체를 거쳐 붓다(석가모니)의 영향을 받았다고 한다. 니체와 붓다 철학에 대한 호감은 나와 일치한다. 그는 문학가이지만 심오한 사상을 가진 철학가이기도 하다. 그러한 경지에 도달하기 위해 엄청난 다독(多讀), 다작(多作), 다상량(多商量)을 했을 것임은 당연한 짐작이다.

소설 '그리스인 조르바'의 주인공 '조르바'는 카잔차키스가 만난 실존 인물 '기오르고스 조르바'에서 영감을 받은 것이다. 실제로 카잔차키스는 1917년 펠로폰네소스에서 기오르고스 조르바와 탄광 사업을 했다고 한다. 따라서 소설의 주인공 '나' 즉 '먹물'이라고 조르바가 놀리는 샌님이 바로 카잔차키스였다고 보면 된다. 작가도 나처럼 실제 '조르바'의 매력에 빠졌을 것이다. '먹물'이 글로 세상을 배웠다면 '조르바'는 거리에서 세상을 배웠다. 살아있는 역동적인 삶에서 세상을 배웠다. 소설 속에 조르바가 표현하고 주장하는 모든 철학은 소설 속에서 형상화된 카잔차키스의 철학이다.

카잔차키스의 삶은 한마디로 자유와 자기 해방을 얻기 위한 투쟁이었다. 어린 시절 목도한 민족적 억압과 구속이 그의 갈망을 키웠으리라 본다. '자유에 대한 갈구'는 여러 사상가와 인물로부터 영향받은 것이기도 하고, 자신의 삶에 있어서도 매우 중요한 키워드였다. 그는 영혼의 자유를 갈망하며 전 세계를 방랑하기도 했다. 그리고 죽은 후에 크레타섬의 묘지 비석에 아래와 같은 비문을 새기게 했다.

> Den elpizo tipota(I hope for nothing), Den forumai tipota(I fear nothing), Eimai eleftheros(I am free)

나는 아무것도 바라지 않는다.

나는 아무것도 두려워하지 않는다.

나는 자유다.

출처: 니코스 카잔차키스 묘비명

그의 또 다른 문제작 '최후의 유혹'도 읽었었는데 다른 저서 '미할리스 대장'과 함께 신성을 모독했다는 이유로 금서가 되기도 했다. 이를 보면 작가가 얼마나 자유로운 영혼을 가졌는지 잘 알 수가 있다. 나는 조르바의 삶을 벤치마킹하고 싶다. 2017년도 그를 만나고자 2주간 그리스를 여행하기도 했다. 일정 때문에 크레타 섬에 들르지는 못했지만 다음에 꼭 나의 정신적 스승이자 지주인 카잔차키스의 묘비 앞에서 묵념이라도 할 생각이다.

소설 '그리스인 조르바'는 그저 단순한 문학이 아니다. 이 책은 인생을 살아가는 방식에 대한 독특하고도 깊이 있는 탐구다. 주인공과 그의 일꾼 '알렉시스 조르바'가 함께 갈탄 광산 사업을 추진하면서 벌어지는 이야기를 통해, 카잔차키스는 우리 모두에게 공감할 수 있는 인간 본성에 대한 이야기를 전달한다. 호탕하고 역동적인 조르바, 반대로 생각 많고 속 깊은 주인공 사이에서 벌어지는 이야기들은 또 다른 먹물로 살아온 나 자신의 과거를 되짚어 보게 만든다. 소설의 묘사는 생생하다. 조르바와 주인공이 처음 만난 장소에서부터 시작해서 크레타 섬으로 가는 배에서 일어나는 여러 사건들까지, 모든 장면들이 마치 실제로 내 눈앞에서 일어나는 것처럼 느껴졌다. 그들의 소설 속 여정은 삶의 여정을 상징하며, 조르바는 삶에서 찾아낸 교훈과 철학을 주인공과 공유한다.

호탕한 성격의 조르바가 오르탕스 부인이 운영하는 여관에 머무르게 되면서, 주인공은 그녀 와도 친분을 쌓게 된다. 이 과정에서 주인공은 자신만의 인생철학과 태도에 대해 깊이 생각하게 된다. 이런 순간들은 중요한 메시지를 형성한다. 아울러 조르바가 섬사람들과 어울리며 보여주는 인간애와 사랑에 대한 정열적인 태도들 또한 강력한 메시지를 전달한다. 그리고 소멜리나라는 아름다운 과부와 관련된 충격적인 사건은 스토리 전개에 급진적으로 변화를 가져온다.

마침내 결말에 가서, 모든 시련과 도전 속에서도 조르바와 주인공은 자신들만의 방식으로 삶을 춤춘다. 나는 앤서니 퀸 주연의 영화 그리스인 조르바도 관람했는데 소설만큼 조르바라는 캐릭터를 충실하게 잘 묘사했다. 갈탄광이 무너진 허무한 상황에서 주인공과 조르바가 추는 춤은 소설과 영화의 백미다. 욕망과 집착을 내려놓고 현재를 즐기는 강력한 영혼이야말로 내가 추구하는 진정한 가치관이자 인생관이다.

카잔차키스가 '그리스인 조르바'에서 보여주는 것은 단순히 개개인의 인생 이야기가 아니다. 오히려 그는 우리 모두가 겪어야 하는 기쁨과 슬픔, 성공과 실패, 사랑과 상실 등 인간 경험의 본질에 대해 깊이 있는 통찰력을 제공해 준다. 특히 은퇴시기에 접어든 5060들에게 나는 이 책을 강력히 권하고 싶다. 특히나 늘 비교 지옥에 빠져 타인보다 나아지기를, 혹은 평균은 해야지 하면 자식 교육과 자산 축적에 집착하고 몰두했던 분이라면 이 소설을 반드시 읽어야 한다.

당신이 이미 '그리스인 조르바'를 읽었다면 다시 한번 더 읽어라. 아마도 당신은 처음 읽었던 때보다 더 많은 것을 발견할 수 있을 것이다. 만약 당신이 아직 이 작품을 읽지 않았다면, 지금 당장 읽어라. 이 작품은 단순히 소설을 넘어서 우리 모두의 삶에 도끼가 될 것이다.

달과 6펜스 (서머싯 몸)

1919년 출판된 서머싯 몸의 '달과 6펜스'는 2018년에 읽은 소설이다. 길지 않은 소설이었던 것으로 기억나는데, 읽고 나서 충격이 컸다. 오래전 읽은 책이라 기억이 가물 가물한데 나무위키의 줄거리를 한번 쓱 읽고 5년 만에 리뷰를 써본다.

줄거리는 이렇다. 화자는 '나'이고 주인공은 '찰스 스트릭랜드'다. 안정적인 런던의 중산층이자 은행원이었던 스트릭랜드는 어느 날 아내와 자식을 버리고 그림을 그리겠다며 파리로 떠나 버린다. (와! 무책임하다...) 주인공의 아내는 남편의 마음을 되돌리고 가족의 품으로 다시 돌아오게 하기 위해 '나'를 파리로 보낸다. '나'는 파리에서 스트릭랜드의 삶을 추적하기 시작한다. 파리에서 스트릭랜드는 빈궁한 화가의 삶을 이어가다 어느 날 아파서 쓰러지는데 다행히 네덜란드인 친구 '더크 스트로브'의 도움을 받아 살아난다. 그런데 놀랍게도 스트릭랜드는 자신을 간호하던 스트로브의 아내 블란치와 눈이 맞아 동거에 들어간다. (이거 뭔 시츄에이션?) 물론 마음씨 착한 순둥이 스트로브는 불쌍하게도 팽 당한다. 이 후 스트릭랜드는 동거하던 블란치를 버리고 블란치는 자살하는데 스트릭랜드는 자신 때문이 아니라고 이야기한다.

어느 날 스트릭랜드는 또다시 남태평양의 섬 타히티로 훌쩍 떠나는

데, 시간이 흐르고 결국 그가 죽은 후 '나'는 다시 그의 죽기 전 행적을 더듬는다. 스트릭랜드는 타히티에서 '아타'라는 원주민 여자와 같이 결혼해 살고 애도 낳았는데, 그러면서 그림을 계속 그렸다는 것이 밝혀진다. 그리고 스트릭랜드는 안타깝게도 불치병에 걸리지만 그럼에도 불구하고 죽을 때까지 자기 오두막 벽에 최후의 걸작을 계속 그렸던 것이다. 그리고 마지막 장면. 스트릭랜드, 아타 그리고 섬을 방문한 의사 (스트릭랜드를 치료하기 위해 방문한 의사)가 보는 앞에서 그 걸작은 불에 타 사라져 버린다. (스트릭랜드의 희망에 따라 불태워진 것이다.)

이 글은 후기 인상파 화가 폴 고갱의 삶을 모티브로 했다고 한다. 그도 증권거래소에서 일하다 35세에 그림을 그리겠다고 직장을 때려치웠다고 한다. 나중에 가족과도 문제가 생겼고 결국 타히티로 떠나는 것까지 소설의 큰 줄기와 유사하다.

이 소설을 읽고 내가 생각해본 화두 세 가지이다.

첫째, 자유의지의 소중함이다.

인간이 과연 자유의지가 있느냐는 논란의 대상이다. B.F. 스키너 같은 심리학자는 인간도 모르모트 (실험용 쥐) 같이 훈련시킬 수 있으며 이때 인간은 자유의지가 없다고 주장했다. 레버를 건드릴 때마다 먹이를 먹던 쥐는 나중에 먹이가 안 나와도 계속 습관적으로 레버를 미친 듯이 건드리는데 인간도 똑같이 만들 수 있다는 것이 스키너의 생각이다. 정치인들도 가짜 뉴스를 퍼뜨려 사람들을 현혹할 수 있고, 그들이 자신에게 표를 찍을 거라고 믿는다. 회사원들도 마찬가지다. 매월 나오는 월급에 중독되어 9 to 6의 다람쥐 쳇바퀴 인생을 산다. 매일 회사 욕을 하면서도 결코 회사를 스스로 그만두지 않는다.

나는 인류의 90%는 자유의지가 없거나 미약하다고 생각한다. 하지만 10%는 자유의지대로 산다. 스트릭랜드 같은 인간이다. 가장이 가족을 버리고 무책임하게 떠나는 행위는 도덕적으로 비난 받을 행위다. 하지만 그는 자유의지가 충만한 사람이다. 보통사람들에겐 미친X, 돌+아이로 평가된다. 자기 머리가 아닌 가슴이 시키는 대로 하는 사람이다. 물론 내 아내가 어느 날 그림 그리겠다고 하면서 멀리 떠나겠다고 하면 무척 충격을 받을 것이고 화도 날 것이다. (내 아내가 스트릭랜드가 아니라 다행이다.) 하지만 아내의 그림에 대한 열망이 목숨을 걸 정도로 강하다고 하면 나는 보내줘야 할까?

둘째, 관계의 문제를 과연 선과 악으로 판단할 수 있을까? 하는 의문이다.

스트릭랜드와 블란치는 서로 눈이 맞아 동거에 들어갔다. 보수적인 사람들은 친한 친구의 아내와 눈이 맞는다는 사실 자체가 나쁘다고 얘기할 것이다. 일종의 간통인 셈인데 한때 우리나라에서 간통은 형사범죄로 취급되었다. 하지만 이제 더 이상 범죄는 아니다. 왜냐하면 관계의 문제까지 형벌의 대상으로 삼는 것은 지나치다는 컨센서스가 이루어 졌기 때문이다. 인간 각자는 개별 인격체이고 자기 결정권을 가지고 있다. 물론 칸트주의자들은 정언명령이나 보편의 법칙에 따르면 비윤리적이라고 주장할 것이다. 모든 사람들이 그렇게 한다면 세상이 어떻게 되는지 생각해보라고 할 것이다? 하지만 반대로 관계에 있어서 변심을 무조건 처벌한다면 세상이 어떻게 될까? 모든 인간은 한번 좋아한 사람은 끝까지 좋아해야 되는 이상한 사회가 될 것이다. 최근 본 영화 '이니셰린의 벤시'에서 어느 날 갑자기 파우릭에게 절교 선언을 한 콜름을 비도덕적이고 옳지 않다고 하는 마을 사람들은 매우 우습고 코믹하게 묘사된다. 관계 맺고 헤어짐은 선택권의 문제이지 도덕의 문제는 아니라는 것이 내 생각이다.

셋째, 불멸의 의미와 가치란?

오직 그림에 대한 열정 때문에 가정도 버리고 남태평양 외딴섬으로 들어간 천재 화가 스트릭랜드. 불치의 병에 걸린 후 마지막 역작을 그리지만 아내에게 태우라고 한다. 왜 그랬을까? 모든 사람은 죽음을 거스를 수 없다. 그리고 뭔가를 남기려고 애쓴다. L 그룹 회장님은 초고층 빌딩을 남기고 싶어 했고 꿈을 이뤘다. 온갖 빌딩이나 빌라의 이름이 오너 자신의 이름이나 가족의 이름, 혹은 이니셜을 따서 지어진 걸 많이 본다. 은퇴자들은 저마다 자서전을 쓴다고 난리다. 나 또한 책 한 권 쓰겠다고 이렇게 주말에 책상 앞에 붙어 있으니 예외가 아니다. '호랑이는 죽어서 가죽을 남기고 사람은 죽어서 이름을 남긴다.'라는 속담 때문인 것 같다. 뭐라도 남겨야 죽기 직전에 '그래 나 뭐라도 남겼으니 잘 살았어. 이제 죽어도 여한이 없어...'라고 느끼고 싶어서 일까? 결국 죽기 전의 내 '마음의 평화'를 위한 것이지 죽고 나면 이름이고, 자식이고, 책이고, 빌딩이고 다 소용없는 것 아닌가?

사람들은 욕망한다. 불멸을... 하지만 헛된 욕망이다. 나는 스트릭랜드가 자신의 최후의 역작을 불태운 장면을 불교에서 말하는 '해탈'로 보았다. 사실 예수 그리스도나 석가모니나 뭘 남기려고 애쓰지 않았다. 책을 쓰지도, 빌딩을 지어 이름을 붙이지도 자식조차도 안 남겼다. 그 대신 깨달음을 얻었고 이를 추종한 후세 사람들에 의해 이름이 남았을 뿐이다. 후손들이 그분들을 기억하려고 애쓰다 보니 이름이 남은 거지 정작 성인들은 이름을 남기려고 애쓰지 않았다. 그들은 오직 삶의 본질과 진리를 찾겠다는 열망으로 열심히 살았을 뿐이다.

명작은 다 이유가 있다. 사람들에게 화두를 던진다. 질문한다. “당신, 잘 살고 있는 거니?” 중년이 되니 삶의 속도보다 방향이 중요하다는 걸 깨닫는다. 서머싯 몸의 ‘달과 6펜스’는 그런 점에서 훌륭한 소설이고 강력히 추천한다.

사피엔스 (유발하라리)

출간된 지 10년이 지났는데 200쇄 돌파, 전 세계 2,300만 부, 한국만 115만 부 돌파라는 경이적이 기록을 세우고 있는 책이 있다. 유발 하라리의 '사피엔스'다. '사피엔스'는 내가 21세기 읽은 가장 충격적인 책이다. 이 책을 통해서 알려지지 않았던 인류 역사와 진화의 비밀을 알게 되었다. 이 책은 호모 사피엔스가 세상을 지배하게 된 이유를 다수가 유연하게 협동할 수 있는 유일한 동물이기 때문이라고 주장한다. 특히, 이러한 협동이 가능해진 것은 신, 국가, 돈, 인권 등 오로지 상상 속에만 존재하는 것들을 믿을 수 있는 독특한 능력 덕분이라고 한다. 그리고 우리 종의 역사를 세 가지 혁명, 즉 인지 혁명, 농업혁명, 과학혁명으로 구분하여 설명한다. 중년으로 접어들면서 '나는 어디서 왔고 어디로 가고 있는가?'가 늘 삶의 화두였는데 이 책은 상당히 만족스러운 대답을 해 주고 있다. 이 책은 기존의 교과서에서 배운 상식과 고정관념을 깨는 많은 이론을 담고 있다. 나는 그중 9개의 주요한 주장들을 음미하고 내 주관적 의견을 덧붙이고자 한다.

첫째, 농업혁명, 인류의 진보 혹은 최대 사기?

그는 우리가 밀을 길들였다기보다는, 반대로 밀이 우리를 길들였다고 주장한다. 약 1만 년 전까지 사피엔스는 사냥과 채집을 하면서 편안하게 살고 있었다. 하지만 밀을 포함한 농작물을 키우면서 영양은 부족해졌고, 과도한 노동으로 인해 몸은 골병이 들었고, 농작물을 키우면서 생긴 잉여 물질 대부분이 엘리트 계층에게 돌아가는 바람에 더 파괴적인 계급적 폭력에 시달리게 되었다는 것이다. 현대 사회에서도 비슷한 상황이 반복되고 있지 않나 싶다. 산업혁명, 정보 혁명으로 인간의 좀 더 편안한 여가를 즐기게 되었는가? 아니다. 일은 더 많아지고 삶은 더 바빠졌고, 관계는 더 각박해졌다. 더 황당한 것은 그때는 적어도 엘리트 계층은 편안했는데 지금은 소수 엘리트도 바쁘고 피곤하게 산다.

둘째, 함무라비 법전에서 현대의 인권까지 그 기나긴 여정

다음은 함무라비 법전에 나오는 내용이다.

211. 만일 그가 임신 중인 평민 여성을 때려서 유산시킨다면 은 5세겔을 달아 주어야 한다.

212. 만일 그 여성이 사망한다면 그는 은 30세겔을 저울에 달아서 주어야 한다.

(중략)

출처: '사피엔스' (유발 하라리 저), P161

당시 여성은 남성의 소유물로서 노예와 다름없었다. 현재 여성들 입장에선 말도 안 되는 개소리가 BC 1750년 인류 최초의 성문법이라는 칭송을 받고 있다. 동일한 범죄에도 지위와 성별에 따른 차별적인 처벌이 이루어지는 것은 현대도 마찬가지다. 자본주의 사회에서 '유전무죄, 무전 유죄'란 말이 회자된다. 과연 사피엔스의 미래에 완전한 평등과 정의가 이루어질 것인가? 아니 과연 평등, 정의, 인권이란 개념이 인간의 상상력의 산물일 뿐, 잡을 수 없는 구름과도 같은 존재인 것일까?

셋째, 나치 독일의 생물학 교과서 그리고 기독교의 마녀사냥

1942년 독일 생물학 교과서의 '자연과 인간의 법칙'장에는 모든 존재는 무자비한 생존 투쟁을 결코 벗어날 수 없으며 이것이 자연의 최고 법칙이라고 설명했다. (중략)

출처 : '사피엔스' (유발 하라리 저), P333

나치 독일에서 생물학 교과서가 '우월한 순수 혈통 아리안 족'이라는 개념을 정당화하는 수단으로 사용되었다면, 기독교 역시 마녀사냥 같은 비합리적인 집단행동으로 신학을 정당화하였다. 이는 과학이든 종교 든 모두 잘못 사용될 경우 어떤 야만적이고 잔혹한 결과를 초래할 수 있는지를 명확하게 보여준다. 역사는 되풀이되기 마련이다. 나는 스마트폰과 인공지능이 인류에게 어떤 파괴적인 영향을 미칠지, 세상이 어떻게 왜곡될지 주시해야 된다고 믿는 사람이다.

넷째, 신용과 파이 키우기로 발전한 자본주의

저자는 현대 경제의 마법의 원을 다음과 같이 묘사한다.

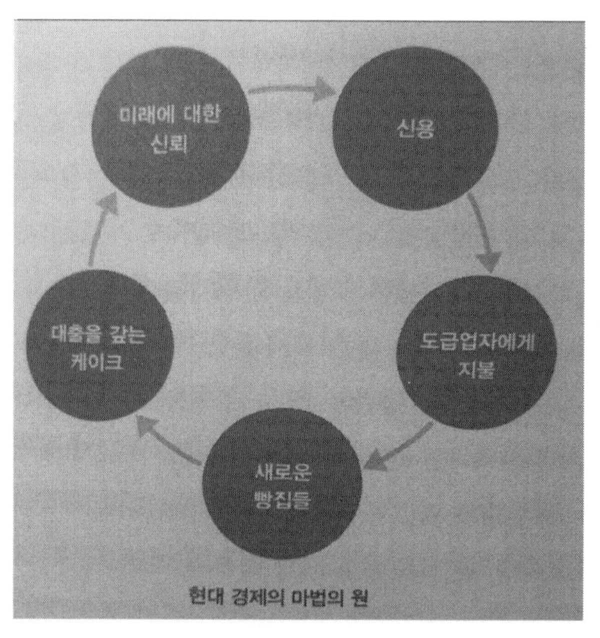

출처: '사피엔스' (유발 하라리 저) P437

자본주의 신용 체계 없이 현재와 같은 경제 성장은 있을 수 없었다. 신용 체계가 발달하면서 자본주의 경제 체제도 함께 성장했다. 그러나 여기서 질문 하나. 이는 소수의 부자들 만을 위한 성장일까? 아니면 모든 사람들에게 공평하게 기회를 제공하는 성장일까? 질문 하나 더. 이 시스템은 붕괴의 위험이 없는 영원한 것일까? 미국의 무제한 달러 찍어 내기는 과연 괜찮은 것일까? 서브 프라임 모기지발 금융 위기 같은 글로벌 경제 위기는 더 이상 없을까?

$

다섯째, 금보다 비쌌던 알루미늄, 과학이 바꾼 세상

1860년대 프랑스의 나폴레옹 3세 황제는 가장 신분이 높은 손님들 앞에는 알루미늄 식기를 놓으라고 지시했다. 그보다 신분이 떨어지는 사람들 앞에는 금으로 된 나이프와 포크가 놓였다. 하지만 19세기 말 화학자들이 막대한 양의 알루미늄을 값싸게 추출하는 방법을 알아냈고 오늘날 연간 총 생산량은 3천만 톤에 이른다.

출처: '사피엔스' (유발 하라리 저), P483

알루미늄은 한때 가치 있는 금속이었다가, 제조 공정 개선으로 대량 생산 가능해져 가격이 폭락했다. 네덜란드의 튤립, 중세 유럽의 설탕, 아시아에서만 공급 가능했던 향신료, 나치 원자재 난의 핵심이었던 초석과 암모니아 등은 인류 역사를 한때 들었다 놨다 했었다. 따라서 지금은 귀한 것이 과학기술의 발전이나 유통의 발전으로 흔해 질 경우 사회와 경제가 어떻게 바뀌는지 보는 것도 흥미롭다.

여섯째, 지구를 지배하는 진짜 주인공, 들쥐와 바퀴벌레?

유발 하라리는 6,500만 년 전 소행성이 공룡을 멸종시켰지만 지구가 멸망하지는 않았고 대신 포유류가 지구를 접수했다고 이야기한다. 다시 말해 사피엔스가 지금은 만물의 영장이라고 우기지만 핵전쟁이나 기후 위기로 멸종되면 다른 종이 번성할 거라고 주장한다. 아마도 생존능력이 대단한 들쥐나 바퀴벌레가 될 수도 있다는 것이다. 그러니 환경 파괴를 너무 걱정할 필요가 없는 것이다. 지구의 입장에서 보면...

일곱째, 가족과 공동체가 사라진 세상, 그 빈자리를 메우는 것은?

유발 하라리는 가족과 공동체가 무너진 빈자리를 메우는 것은 국가와 개인이라고 아래 도표와 같이 주장한다.

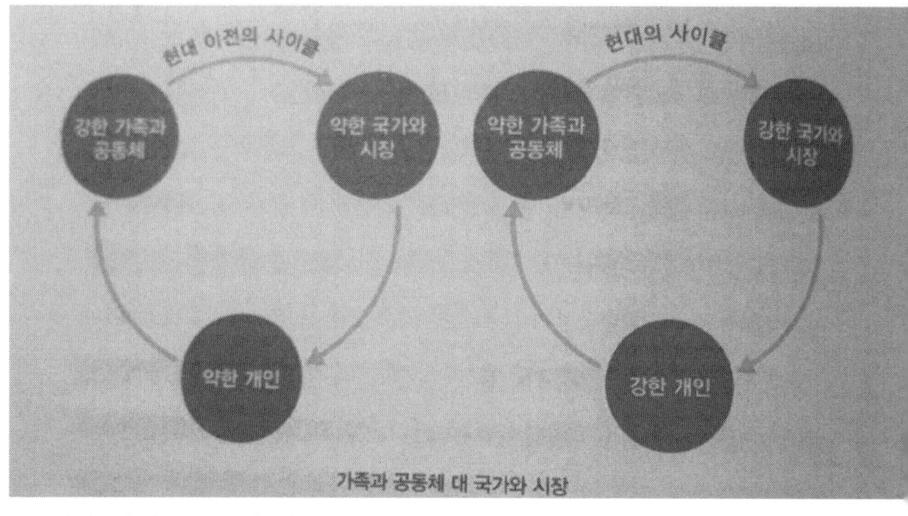

출처: '사피엔스' (유발 하라리 저), P508

공동체와 가족이 해체되면서 점점 우리는 외로워진다고 말한다. 노리나 허츠의 '고립의 시대'에서 저자는 우리는 점점 서로를 공격하는 외로운 생쥐가 되어 가고 있다고 말한다. 원인은 SNS 비대면 소통, 스마트폰 중독, 메일 홍수, 장시간 노동, 감시 자본주의 시대, 로봇과 자동화 등이다. 이는 글로벌 현상인 듯하다.

여덟째, 화학적 행복? 우리 감정을 좌우하는 신경과 화학물질

사피엔스의 감정과 욕구는 화학반응에 크게 좌우되고 있다고 한다. 즉, 화학적 행복이 신경, 뉴런, 시냅스, 세로토닌, 도파민, 옥시토신 등 호르몬으로 결정되는 시스템으로 간다는 것이다. 그는 우리가 '행복'이라는 감정을 느끼는 것은 단순히 화학적 반응에 지나지 않는다고 주장한다. 갑자기 올더스 헉슬리의 '멋진 신세계'에서 불행을 느낄 때마다 강제로 주입해 행복을 느끼게 만드는 마약 '소마'가 생각난다. 신은 죽었고, 인간이 호모 데우스가 된 이 세상에서, 모두 '카르페 디엠'을 외치는 쾌락주의자, 행복 만능 주의자들이 대세인 이 세상에서, 행복이란 것도 단순히 화학 물질의 장난일 뿐이라면 삶이 의미는 과연 무엇일까?

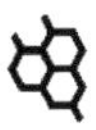

아홉째, 자연선택 이젠 안녕? 지능적 설계로 진화하는 새로운 세상

수십억 년 동안 진화의 비밀은 자연 선택이었다. 하지만 사피엔스는 지적 설계를 통한 새로운 존재의 탄생에 도전하고 있다. 즉 생명공학, 사이보그 공학, 비유기물 공학이 도래하고 있는 것이다. 키메라 생쥐가 등장하고 (쥐의 등에 소의 귀), 대장균 유전자를 조작해서 바이오 연료를 생산하고 (저렴한 인슐린 생산), 북극에 사는 물고기의 유전자를 감자에 삽입해 서리에 대한 저항력을 가지게 만들고, 유선염 일으키는 박테리아를 공격하는 항균성 효소인 리소스타핀이 포함된 우유를 생산하도록 유전자 조작한 젖소를 실험하고, 일부일처제 밭 쥐 유전자를 분리하고, 동결된 매머드나 네안데르탈인 유전자를 추출하여 복원하고, 사이보그 곤충이나 상어를 전투용으로 개발하고, 바이오닉 귀나 망막 임플란트 기술이 개발되고 있다. 심지어 인간의 뇌 전부를 컴퓨터 안에서 재 창조하는 블루 브레인 프로젝트가 진행되고 있다. 인류의 미래는 예측 불가능이다. 이렇게 인간에 의해 조작된 '진화'가 정말로 긍정적인 결과를 가져올 수 있을까? 아니면 오히려 우리 인류 자체를 위협하게 될까? 기존의 생명공학과 사이보그 공학 등 신기술들의 발전 속도를 보며 두려움과 기대감 모두 느낀다.

유발 하라리는 '사피엔스'에서 우리가 더 행복해지기 위해서는 어떻게 해야 할지에 대한 답을 찾아야 한다고 말한다. 그러나 그의 의견에 따르면, 행복은 물질적인 환경과 거의 상관이 없으며, 복권에 당첨되더라도 그 행복은 일시적일 뿐이다. 따라서 우리가 진정으로 행복해지기 위해서는 외부환경보다 자신의 내면을 돌아보고 이해하는 것이 중요하다고 말한다. 특히 번뇌에서 벗어나라고 말한다.

번뇌에서 벗어 나는 길은
이런 저런 덧없는 즐거움을 느끼는 것이 아니라
이 모든 감정이 영원하지 않다는 속성을 이해하고
이에 대한 갈망을 멈추는데 있다.

출처: '사피엔스' (유발 하라리 저), P558

깊이 마음에 되새겨 볼 직한 문장이다.

남아있는 나날 (가즈오 이시구로)

'남아 있는 나날'은 영국의 어느 지체 높은 귀족을 모시던 나이 든 집사의 이야기이다. 이 책은 내가 희망퇴직하기 1년 전 겨울에 독서 모임에서 토론을 했던 책이다. 나는 이 책을 읽고 다음과 같은 감상평을 메모해 놓았었다.

> 나의 23년 회사 바라기 인생과 너무나도 닮아 회한의 눈물이 났다. 영화로도 감상하고 싶다.
>
> 2020년 9월 30일

이 책의 줄거리는 이렇다. 스티븐스는 영국의 유명한 저택 '달링턴 홀'의 집사다. 스티븐스는 가족과 사랑도 포기하고 충직하고 맹목적으로 주인 '달링턴 경'을 섬기고 저택을 지켜왔다. 어느덧 황혼기에 저택의 주인이 바뀌고 그의 호의로 1956년 어느 여름, 6일간의 생애 첫 여행을 떠난다. 그 여행의 목적은 젊은 날 한때 잠깐 사랑했던 '켄턴 양'을 찾는 것이었다. 여행 중에 그는 집사였던 자신의 오랜 직장 생활을 하나하나 회상하는데, '위대한 집사'로서 자부심을 가진 시절도 있었지만, 그가 하늘같이 모시던 달링턴 경이 사실 나치 지지자였다는 사실이 밝혀지는 충격적인 날도 있었다. 결론적으로 젊은 청춘을 직장 생활에 다 바치고 황혼기에 자신의 인생과 사랑을 깨닫는다는 것이 글의 맥락이다.

이 책에는 여러 에피소드가 나오는데 기억에 남는 에피소드는 다음과 같다.

에피소드 1

달링턴 경의 저택에서 국제회의가 열리는 와중에 직원인 스티븐스의 아버지 (윌리엄)가 뇌졸중으로 돌아가시고 만다. 하지만 직업정신에 투철한 스티븐스는 지금 무척 바쁘니 부친의 눈을 감겨 달라고 켄턴 양에게 부탁하고, 임종을 지켜보지도 못한다. 그리고 부친을 보러 온 의사를 발통증으로 도움을 요청하는 듀퐁 씨에게 보낸다. 혹자는 스티븐스의 투철한 직업 정신을 극찬할지 모른다. 가족과 일이 충돌했을 때 무엇을 선택할 것인가? 나는 가족이 우선이어야 한다고 본다. 스티븐스의 대처는 비 인간적이다. AI와 무엇이 다른가? 하지만 나도 직장을 다닐 때 스티븐스처럼 행동했다. 가족보다는 직장을 챙겼다. 이런 인간을 사축(社畜)이라고 한다. 우리 주위에 상당히 많다. 나는 그랬던 걸 많이 후회한다.

에피소드 2

스티븐스가 모시는 달링턴 경은 유대인 직원 (루스와 사라)에 대한 해고를 지시하고, 이에 스티븐스는 일말의 의구심이 듦에도 불구하고 자신의 직분에 충실하여 켄턴 양에게 직원들을 해고할 것을 요구한다. 켄턴 양도 처음에 강하게 반발하지만 결국 지시를 따르고 만다. 이런 장면은 직장에서 비일 비재하다. 상사의 불합리한 명령, 부당한 지시를 받았을 때 자기 목소리를 내는 것이 쉽지 않다. 왜냐면 그가 나의 명줄을 쥐고 있기 때문이다. 하지만 모두 Yes 맨이 되면 세상이 어떻게 될까? 간혹 No를 외치는 친구가 있다. 직장에서 그들을 용기 있다, 정의롭다고 칭찬하면 좋겠지만 그런 직장은 잘 없다. 대신 '조직 적응에 실패한 인간'이라고 폄하한다. 문제는 직장에서 영혼을 계속 팔다 보면 진짜 영혼이 없는 무뇌아가 된다는 것이다.

에피소드 3

달링턴 경의 대자(代子) 카디널 경이 스티븐스에게 정치적 비밀을 공유한다. 스티븐스의 주인 달링턴 경이 영국이 나치를 지지하게끔 암암리에 중간 다리 역할을 하는 중이라고 폭로하면서 스티븐스에게 상황인식을 요구한다. 하지만 스티븐스는 답한다. "저는 나리의 훌륭한 판단을 전적으로 신뢰한다는 말씀밖에 드릴 게 없습니다" 그렇게 답하는 것 집사로서 본인 직분에 충실하게 대응하는 것이라고 그는 여긴다.

회사나 조직의 불합리, 부패, 부정을 목도할 경우, 만일 내부적으로 이슈화할 경우 내가 다칠 수 있다. 만일 외부에 폭로할 경우 회사나 조직이 심대한 타격을 입게 되고 그로 인해 나 또한 그 직장을 잃게 될 수 있다. 나는 어떻게 해야 할까? 나의 직분에 충실해서 관망하고 모르는 체하는 것이 지혜로운 처신일까? 이런 부분도 직장 생활의 상당한 딜레마다.

에피소드 4

달링턴 경이 신사들과 함께 환담을 하다가 스펜서 씨가 스티븐스에게 미국 부채 상황, 금본위제 같은 어려운 질문들을 불쑥 던지고 스티븐스는 이에 대해 대답을 전혀 못한다. 스펜서 씨는 일부러 이런 질문을 함으로써 나라의 중대한 결정을 이해력이 떨어지는 수백만 대중에게 맡길 경우 문제가 생긴다는 주장을 증명해 보인다. 나는 이것이 엘리트주의의 전형이라고 본다. 민주주의는 1인 1표제로 모든 대중이 평등하다고 말한다. 하지만 동시에 자본주의는 자산의 크기가 발언권이다. 그리고 엘리트 그룹은 대중을 이해하기 어렵게 만들기 위해 언어의 장막을 친다. 직관적이지 않고 복잡한 법률용어가 그렇고, 온통 알 수 없는 영어로 된 의학용어가 그렇다. 관료들은 어려운 한자어로 대중을 소외시켜왔다. 중세 시대에 어려운 라틴어로 된 성경은 오로지 성직자만 볼 수 있었다가 구텐베르크의 인쇄술 덕분에 성경이 대량 출간되면서 종교 혁명이 일어난 것과 같은 맥락이다. 엘리트주의는 억압의 도구다.

에피소드 5

켄턴 양은 처음에는 업무와 관련해서 스티븐스와 티격태격 하나 나중에 그에게 호감을 느끼게 된다. 하지만 마찬가지로 호감을 느끼고 있던 스티븐스는 속마음과는 다르게 우유부단한 태도로 일관하고, 켄턴 양은 결국 벤이라는 사람과 결혼하기로 했다면서 갑자기 떠나버린다. 나중에 수년이 지난 후 스티븐스가 켄턴 양을 다시 만나서 하는 대화에서 켄턴 양이 속마음을 내비치기는 했지만 벤을 사랑하고 계속 같이 살겠다는 생각에는 변함이 없다는 것을 강조한다. 하지만 켄턴 양은 헤어질 때 눈물을 흘린다. 왜일까? 사랑도 가족도 버리고 오로지 조직에 충성하기만 했던 스티븐스의 꽉 막힌 마음을 다시 열기엔 너무 늦었다고 생각했을까?

에피소드 6

스티븐스는 영국 집사는 대륙의 집사와 다르며, '영국인들의 절제심과 품위'를 그 이유로 생각하고 있다. 대단한 자부심이다. 아래 글은 그의 자부심을 구체적으로 묘사한 글이다.

> 진정한 의미의 집사가 존재하는 곳은 영국 밖에 없으며 그 외의 나라들에는, 실제로 사용되는 칭호가 무엇이든, 오직 하인들만이 있을 뿐이라는 말을 이따금 듣게 된다. 나는 이 이야기가 진실이라고 믿는 편이다. 대륙 사람들은 감정을 절제하지 못하는 혈통들이기 때문에 집사가 될 수 없다. 오직 영국 민족만이 할 수 있다. 대륙 사람들, 여러분도 물론 동의하겠지만 켈트족도 대체로 마찬가지인데, 그 사람들은 일반적으로 격한 순간에 자기 자신을 통제하지 못하며 따라서 최소한의 도전적 상황 외에는 전문가 다운 품행을 유지하지 못한다. 좀 전의 비유로 돌아가 말하자면 그들은 지극히 사소한 자극에도 자신의 양복과 셔츠를 찢어 벗어 버리고 비명을 지르며 사방으로 뛰어다니는 사람과 흡사하다. 한마디로 말해 '품위'는 그럼 사람들이 닿을 수 없는 곳에 있다.
>
> 출처: '남아있는 나날' (가즈오 이시구로 저), P58

영국의 집사와 대륙의 하인을 격이 다른 존재로 인식하는 스티븐스.

좋게 얘기하면 직업적 자부심이다. 26년간 직장 생활하면서 나는 내 직업에 대해 많은 자부심을 가졌었다. 하지만 조직이라는 틀안에서의 자부심은 그 조직을 떠나는 순간 사상누각(沙上樓閣)이 된다. 우리는 조직에 속해 있을 때나 개인으로 있을 때나 상관없이 가치 있고 존중받아야 할 존재다. 주체적이 개인으로 홀로서기 하지 못하면 개인으로서 셀프 자신감은 매우 취약해진다.

스티븐스는 집사라는 본인의 직무에 큰 자부심을 가지고 최고의 수준으로 달링턴 나리에게 봉사하기 위해 노력하며 살아왔다. 스티븐스가 생각하는 달링턴 경은 나쁜 사람이 아니고 (동정 넘치고 온유한 신사다.) 소신껏 인생길을 선택하면서 큰일 (정치)을 하면서 살아온 신사였다. 물론 잘못된 길로 판명되긴 했지만 신분적으로 지식적으로 한계가 있는 스티븐스가 어떻게 잘못된 길인지 아닌지 판단할 수 있었겠는가? 주인의 잘잘못을 따지지 않고 충실하게 성실하게 프로의식을 가지고 살아온 스티븐스의 삶을 비난하고 싶지 않다. 하지만 인생 2 막은 달라야 한다고 본다. 은퇴 후엔 당당한 개인이 되어야 한다. 누구를 섬길 이유도 없고 누구한테도 비굴하게 굴종할 이유가 없다. 그러기 위해선 경제적으로 정신적으로 독립해야 한다는 전제조건이 있다. 그래서 '자유'란 것은 소수의 특권일 수밖에 없는 것이다. 스티븐스처럼 똑같이 집사였던 어느 노인이 한 말을 인용하겠다.

즐기며 살아야 합니다.

저녁은 하루 중에 가장 좋은 때요.

당신은 하루의 일을 끝냈어요.

이제는 다리를 쭉 뻗고 즐길 수 있어요.

내 생각은 그래요.

아니, 누구를 잡고 물어봐도 그렇게 말할 거요.

하루 중 가장 좋은 때는 저녁이라고.

출처 : '남아있는 나날' (가즈오 이시구로 저), P 300

휴먼 카인드 (뤼트허르 브레흐만)

당신은 성선설을 믿는가? 성악설을 믿는가? 만일 중간 어디라면 어느 쪽에 더 가까운가?

대학 1학년 때의 일이다. 여름 방학을 맞아 나는 부산행 무궁화호에 몸을 싣고 있었다. 기말고사는 못 봤지만 홀가분한 기분이었고, 낯설고 정신없었던 대학 첫 학기를 마치고 그리운 고향의 품으로 돌아간다는 생각에 다소 들떠 있었다. 마침 내 옆자리에 나보다 한두 살 많아 보이는 한 대학생 남자와 이런저런 얘기를 나눴다. 그는 부잣집 아들 같은 외모에 전국 무전여행 중이라 했고 나는 그런 그의 용기가 부러웠다. 우린 초면인데도 많은 솔직한 얘기들을 나눴다. 그는 집이 서울이고 엄격한 대학교수 아버지 밑에서 컸다고 했다. 아버지의 그늘에서 벗어나고자 한 달째 혼자 여행 중인데, 지금 돈이 거의 떨어져 난감한 상황이라고 속 마음을 털어놓았다. 측은지심에 나는 수중에 가지고 있던 한 달 치 하숙비 현금 14만 원을 그에게 빌려주었다. 때는 1989년이니 14만 원은 적지 않은 돈이었다. 하지만 아버지와 사이가 좋진 않았던 내 상황과도 비슷해 동병상련의 마음에 선뜻 주었고 그 진지해 보이는 청년은 여행이 끝나고 서울 돌아가면 꼭 갚겠다고 했다. 그는 커피 냅킨에 자기 집 주소와 전화번호를 적어 주었다. '서울 강남구 역삼동 개나리 아파트....' 그는 진심으로 나에게 고맙다고 했고 나는 어려움에 빠진 사람을 도와줄 수 있어서 기쁘다고 했다.

그리고 여름 방학을 보냈고, 다시 서울로 돌아온 날 하숙집 형들이랑 술을 먹다가 그 얘기를 꺼냈더니 '야! 느낌이 싸하다. 아무래도 너 사기꾼한테 당한 것 같은데? 당장 내일 찾아가 봐.' 선배의 그 말에 내 정신은 갑자기 혼미했고, 전화를 했다. "지금 거신 전화번호는 결번이오니...." 망치로 뒤통수를 맞은 느낌이었다. 불면의 밤을 보낸 다음날 아침 일찍 개나리 아파트를 찾아갔다. 강남구 역삼동 개나리 아파트에는 대부분 정부 고위층이나 대학교수들이 주로 산다는 얘기를 선배로부터 들은 것도 같았다. 칼날 같은 눈 빛의 기분 나쁜 경비는 말했다. "그 주소에 그런 사람 안 살아요. 그렇게 속아서 오는 사람 가끔 있어요." 갑자기 속이 울렁거렸다. 눈물도 찔금 났던 것 같다. 그 놈에 대한 분노 보다 스스로에 대한 자책이 열 배쯤 컸다. 순진했던 부산 촌놈은 '서울은 엎어지면 코 베어 간다'라는 농담의 의미를 깨달았다. 시간은 약이었다. 기억은 서서히 희미해 졌지만 인간은 원래 악한 존재이고 사람을 함부로 믿어서는 안된다는 생각은 디폴트로 자리 잡았다.

그로부터 33년이 지났고 나는 그 이후 지금까지 자잘한 손실은 좀 있었지만 사기, 절도, 강도와 같은 큰 범죄에 연루된 적은 없었다.

험한 세상을 잘 건너온 것이다. 그 사기꾼 녀석한테 준 14만 원은 내 삶의 백신 값이라고 생각했다. 매일 밤 공중파 저녁 뉴스는 온갖 사건, 사고 소식으로 도배된다. 세상은 편안한 날이 없고 사실상 '지옥'이지만 나와 우리 가족은 운이 무척 좋다고 생각해왔다.

올 초에 뤼트허르 브레흐만의 '휴먼 카인드'를 읽었다. '성악설'과 '불신 안전'을 믿는 나에겐 충격이었다. 윌리엄 골딩의 소설 '파리대왕'에서 서로를 제거하려는 아이들 이야기는 실제 현실에선 구현되지 않았다는 이야기, 1940년 9월 7일 독일군에 의한 영국 공습 시 보도와 다르게 영국인들은 서로 돕고 평온한 삶을 유지했다는 이야기, 2005년 미국 뉴올리언스를 강타한 허리케인 카트리나 재난 현장에서 대혼란은 결코 일어나지 않았으며, 오히려 범죄율은 낮아졌고 사람들은 침착하게 재난을 극복했다는 이야기, '방관자 효과'로 유명한 캐서린 제노비스의 사건과 관련하여 당시 언론 보도와는 달리 사람들의 방관 뒤에는 저간의 사정이 있었다는 이야기 등 저자는 상당히 많은 사례를 제시한다. 그의 결론은 인간 본성이 원래 선하다는 것이다. 토마스 홉스의 성악설이 아니라 장 자크 루소의 성선설, 순자의 성악설이 아니라 맹자의 성선설이 정답이라는 것이다.

인간은 좋은 일 보다 나쁜 일을, 좋은 사람보다는 나쁜 사람을 더 오래 기억한다. 심리학 용어로 '부정 편향'이다. 토끼를 만났을 때보다 호랑이를 만났을 때 상황을 더 오래 기억하고 대비해야 생존에 유리했고, 오랜 진화의 과정을 통해 우리 DNA에 각인된 것이다. 페이지 뷰로 돈을 버는 언론 기자들은 나쁜 뉴스, 쇼킹한 뉴스를 더 많이 내보내려고 노력한다. 소설도 영화도 점점 성악설을 기준으로 자극적으로 만들어진다. 넷플릭스 영화를 보면 폭력적이고 선정적인 영화나 드라마가 대세다. 칼로 찌르고 총을 쏴서 사람을 죽이는 장면은 소설과 영화 속에서는 일상 다반사다. 그리고 그런 모습들이 우리가 세상을 보는 사고를 왜곡한다.

가만히 나의 지나온 삶을 돌이켜 보았다. 좋은 사람도 있었고 나쁜 사람도 있었다. 사실 좋은 사람들이 훨씬 많았다. 하지만 나쁜 사람들이 더 오래 기억에 남았다. 그러다 보니 무의식 중에 성악설이 내면에 자리를 잡았다. 안전을 위해서는 바람직했겠지만 나를 점점 외롭게 만들어 왔다. 이 책 '휴먼 카인드'는 성악설이 사람들의 관계를 단절시키고 사회를 점점 메마르고 살벌하게 만들어 간다고 주장한다.

나쁜 사람은 소수다. 권력을 추구하는 사람 중에 사이코 패스 비율이 일반인보다 훨씬 많다고 한다. 그들은 '편집증적 나르시시스트이고 사람을 조정하는데 능하고 자기 중심적이며 연민이나 의심으로 괴로워하는 일이 거의 없다.'라고 저자는 말한다. 그래서 민주주의가 가장 안전한 정치 체계가 된 것이다. 다수가 소수의 횡포와 독재를 막고 통제할 수 있는 시스템이다. '악화가 양화를 구축한다.'라고 하지만 선한 사람들은 악한 사람들을 충분히 통제 가능하다.

저자는 말한다.

> 정말 매우 간단하다. 사람들을 쓰레기처럼 대하면 그들은 쓰레기가 될 것이다. 인간처럼 대하면 그들은 인간처럼 행동할 것이다
>
> 출처: '휴먼카인드' (뤼트허르 브레흐만 저), P442

아울러 저자는 성악설로부터 우리를 구하기 위해 필요한 10가지 실천사항을 제시한다.

1. 의심이 드는 경우 최선을 상정하라.
2. 윈-윈 시나리오를 기반으로 생각하라.
3. 더 많은 질문을 제기하라.
4. 공감을 누그러뜨리고 연민을 훈련하라.

5. 다른 사람들을 이해하려고 노력하라. 비록 그들이 어디서 왔는지 모른다고 할지라도
6. 다른 사람들이 그러하듯이 당신 역시 스스로 가진 것을 사랑하라.
7. 뉴스를 멀리하라.
8. 나치에 펀치를 날리지 말라.
9. 벽장에서 나오라. 선행을 부끄러워하지 말라.
10. 현실주의자가 돼라.

출처: '휴먼카인드' (뤼트허르 브레흐만 저)

책 '휴먼 카인드'는 나의 고정관념을 깨는 도끼였다. 이 도끼가 다른 많은 성악설 추종자들의 생각도 깨 주기를 기원한다.

엔드 오브 타임 (브라이언 그린)

유시민의 '알릴레오 북스'에서 다룬 책 '엔드 오브 타임'을 읽었다. 저자 '브라이언 그린'은 컬럼비아 대학의 물리학과 및 수학과 교수이다. 그는 '초끈이론 (superstring theory)' 분야에서 중요한 업적을 남긴 이론 물리학자이면서 동시에 한국의 김상욱 교수처럼 '과학 대중화'에 힘써 오신 분이다. 정말 세상에는 똑똑한 사람도 많고 유능한 사람도 많다.

통섭의 시대다. 물리학자들이 인문학을 설명하기 시작했다.

이 책의 목차를 한번 살펴보자.

1장. 영원함의 매력 - 시작과 끝, 그리고 그 너머

2장. 시간의 언어 - 과거와 미래, 그리고 변화

3장. 기원과 엔트로피 - 창조에서 구조체로

4장. 정보와 생명 - 구조체에서 생명으로

5장. 입자와 의식 - 생명에서 마음으로

6장. 언어와 이야기 - 마음에서 상상으로

7장. 두뇌와 믿음 - 상상에서 신성(神聖)으로

8장. 본능과 창조력 - 신성함에서 숭고함으로

9장. 지속과 무상함 - 숭고함에서 최후의 생각으로
10장. 시간의 황혼 - 양자, 개연성, 그리고 영원
11장. 존재의 고귀함 - 마음, 물질, 그리고 의미

출처: '엔드 오브 타임' (브라이언 그린 저)

목차를 보면 알겠지만 이 책은 'Who am I? (나는 누구인가?) Where are we from? (우리는 어디서 왔는가?) Where are we going? (우리는 어디로 가고 있는가?)'에 대한 답이다.

흥미로운 내용 중 하나는 '엔트로피 법칙'이다. 우주는 빅뱅에서 시작되어 끝없이 확장되고 있고, 엔트로피는 무한 증가한다. 엔트로피는 일종의 무질서도인데 엔트로피를 감소시키려면 에너지가 필요하다. 집안 청소를 하지 않으면 먼지가 쌓이면서 집안이 점점 어질러지는데 이는 엔트로피가 증가한 상태이다. 엔트로피를 감소시키고 질서를 부여하려면 청소를 해야 된다. 육체 에너지를 써야 한다.

그럼 원시 단세포로부터 자신을 인식까지 하는 고등동물인 인간으로의 진화 과정은 어떻게 설명할 것인가? 왜냐하면 생명이란 정교하게 질서가 잡힌 존재라 엔트로피 증가의 법칙에 반하는 것으로 보이기 때문이다. 저자는 동전 던지기 게임으로 이를 설명한다. 동전을 100번 던져서 모두 앞면이 나올 확률은 극히 작지만 수억 년의 시간 동안 던진다면 100번 모두 앞면이 나올 가능성은 분명히 있다는 것이다. 그러니 원자들의 배열이 인간, 그 중에서도 '나'라는 유일무이한 존재가 되는 것 또한 확률적으로 매우 낮지만 일어날 수 없는 일은 아닌 것이다. 우리는 이를 '기적'이라고 표현할 뿐이다. 우리는 엔트로피가 극도로 감소한 상태로 에너지를 쓰면서 살아가는 매우 희박한 확률 덩어리인 것이다.

하지만 인간은 누구도 죽음을 피할 수 없다. 노화와 죽음은 엔트로피 증가의 법칙을 증명하는 자연스러운 과정이다. 이렇게 생각하니 노화와 죽음에 대한 두려움이 훨씬 적어진다. 죽음이 디폴트이고 찰나의 삶이 기적임은 불교 철학과도 상통한다.

그럼 신은 과연 존재하는가? 누군가는 신이 우주를 창조했다고 믿는다. 반면에 혹자는 신이란 우상이고 스토리텔링일 뿐이라고 말한다. 철학자이자 노벨 문학상 수상자 버틀란트 러셀은 라디오 프로에서 '신은 존재하는가?' 하는 도발적인 주제로 토론을 했다가 케임브리지 대학교와 뉴욕시립대학교에서 해고되었다. 종교계에 물의를 일으켰다는 이유다. 지금은 과학 기술의 시대이지만 아직도 종교의 힘은 대단하다. 특히 우리나라는 유교국가 혹은 불교국가였었는데 지금은 교회 십자가가 매우 흔하다. 야간에 비행기에서 서울 상공을 내려다보면 그렇게 빨간 십자가가 많이 보일 수가 없다.

종교는 언어와 밀접한 관계가 있다는 것이 저자의 설명이다.

스토리텔링을 비행사 훈련용 시뮬레이터에 비유해 보자. 당신이라면 시뮬레이터에 어떤 상황을 입력할 것인가? 견습 비행사가 노련한 비행술을 익히려면 시뮬레이터에서 어떤 훈련을 받아야 하는가? 그 답은 《창조적 글을 쓰는 101가지 방법 Creative Writing 101》의 첫 페이지에서 찾을 수 있다. 스토리텔링의 핵심은 '대립(갈등)'이다. 모든 이야기에는 어려운 문제가 등장한다. 우리는 내적, 또는 외적으로 위험한 장애를 극복하기 위해 고군분투하는 주인공에게 끌리는 경향이 있다. 현실적이건 상징적이건, 그들의 여정을 따라가다 보면 자신도 모르는 사이에 이야기 속으로 빨려 들어간다. 이야기가 재미있으려면 등장인물이나 스토리, 또는 스토리를 전개하는 방식에서 놀라움과 즐거움, 그리고 경외감을 느낄 수 있어야 한다. 그러나 이야기에서 갈등 요소가 빠지면 따분한 이야기로 전락하기 십상이다. 시뮬레이터에서 실행되는 다윈의 콘텐츠도 마찬가지다. 갈등과 어려움이 없으면 이야기의 가치는 급격하게 떨어진다.

출처: '엔드 오브 타임' (브라이언 그린 저), P 251

그리스, 로마 신화가 2000년의 세월을 이겨내고 현대인에게 남아 있는 이유가 바로 이야기의 힘이다. 성경, 불경, 코란도 거대한 스토리 앨범이다. 신화나 경전에는 위험, 죽음, 파괴 같은 요소가 단골처럼 등장한다. 저자는 갈등과 재난이 누락된 이야기로는 사람들의 관심을 받을 수 없다고 했다. 특히 생명력이 강한 이야기는 평범한 주인공이 초자연적인 능력을 부여 받아 숭고한 목적을 달성하는 이야기라고 한다. 할리우드 영웅 시리즈가 다 이런 패턴이다. 스파이더 맨, 배트맨, 슈퍼맨 다 마찬가지이다.

가십이 종교 기능의 핵심이라는 심리학자의 주장도 있다.

> 미국의 심리학자 제시 베링 Jesse Bering은 언어의 기원을 연구하다가 가십 gossip (험담, 쑥덕공론)이 "집단의 위계질서를 유지하고 아이를 양육하는 데 중요한 역할을 했다."라고 결론지었다. 현대인이 품위 없는 수다 정도로 여기는 가십을 고대 종교의 적응 기능의 핵심으로 내세운 것이다. 인류가 언어를 사용하기 전에는 누군가가 나쁜 마음을 먹고 음식을 훔치거나, 짝짓기 상대를 가로채거나, 사냥 중에 혼자 도망가도 증인이 많지 않으면 벌을 주기가 어려웠다.
>
> 그러나 이 상황은 언어를 사용하기 시작하면서 완전히 달라졌다. 누구든지 잘못을 한 번만 저질러도 사람들의 입방아에 오르면 신뢰도가 급격히 떨어져서 번식의 기회가 크게 줄어들었다. 베링의 논리를 정리하면 다음과 같다. 집단의 규율을

위반할 가능성이 높은 사람이 강력한 힘을 가진 존재가 (바람이나 나무 위, 또는 하늘에서) 나를 감시하고 있다고 상상하면 범법 행위를 자제하게 되고, 가십에 오르는 횟수가 줄어들고, 집단에서 추방될 가능성도 낮아진다. 따라서 그는 안전하게 후손을 낳을 수 있으며, 그 후손들도 신을 두려워하는 습성을 물려받아 규율을 존중하는 분위기가 자연스럽게 형성된다. 즉, 종교적 성향은 혈통을 유지하는 데 유리하게 작용하기 때문에, 세대가 거듭될수록 종교에 더욱 심취하게 되고 인원수도 많아지는 것이다.

출처: '엔드 오브 타임' (브라이언 그린 저), P285

'사피엔스'의 저자 유발 하라리도 인간이 지구를 지배하게 된 것도 '뒷담화' 때문이라는 논리를 펼쳤다. 즉 뒷담화를 통해 적과 아군을 구분하고 혈연의 테두리를 벗어나 대규모의 집단을 형성할 수 있었다는 것이다. 거대한 공룡이 사라진 세상을 포유류가 지배하게 되었지만 결국 쪽수가 많은 종이 세상을 지배하게 된 것이다.

이 책에는 다음과 같은 흥미로운 이야기도 나온다.

최근 들어 미국의 심리학자 제프리 밀러 Geoffrey Miller와 철학자 데니스 튜턴 Denis Dutton은 여기서 한 걸음 더 나아가 "인간의 예술적 능력은 안목 있는 여성이 남성을 선택하는 기준" 이라고 주장했다. 이들의 논리에 따르면 정교하게 다듬어진 예술 작품과 창조적인 전시, 그리고 에너지 넘치는 공연은 심신이 강인하다는 증거일 뿐만 아니라, 이런 것을 만들어낸 자신이 생존에 필요한 재능과 자원을 보유하고 있다는 일종의 과시이기도 하다.

"나는 생존에 별 도움이 안 되는 예술 활동에 귀중한 시간과 에너지를 낭비할 정도로 남들보다 뛰어난 육체적 능력과 자원을 소유하고 있다!" 이 정도면 이성의 관심을 끌 만하지 않은가 (홍적세의 예술가들은 분명히 빈민층에 속 했을 것이다)?

이런 관점에서 볼 때 예술 활동이란 재능 있는 예술가들이 눈 높은 여성을 짝으로 영입하는 홍보 수단에 불과하다. 물론 이들 사이에 태어난 후손도 부모의 기질을 물려받아 훗날 짝짓기를 할 때 부모와 비슷한 전략을 펼쳤을 것이다.

출처: '엔드 오브 타임' (브라이언 그린 저), P324

이 심리학자의 주장은 좀 비약적이긴 하지만 일견 일리가 있다. 예술을 하는 사람이 더 매력적으로 보이는 건 고금을 막론하고 사실인 듯하다. 그리고 특히 요즘 예술에 종사하려면 기본적인 경제력이 받쳐 줘야 한다. 우리나라 근대 화가들, 이중섭, 이응노, 장욱진, 유영국, 김환기, 나혜석 중 일부는 말년이 좋지 못했으나 대부분 당시에 다 괜찮은 집안 출신이었고 일본 유학을 갈 수 있을 정도로 재력이 있었다.

나는 예술을 하는 사람이 부럽다. 예술은 생존 행위보다 차원이 높다. 혹자는 예술을 통해 영원을 추구한다고 말한다.

> 예술적 충동이란 자신의 운명을 책임지고, 현실을 바꿀 용기를 갖고, 자신만의 자아를 형성할 평생 작업에 몰두하는 것.
>
> 출처: '엔드 오브 타임' (브라이언 그린 저), P342

내가 블로그에 글을 남기는 것도 일종의 예술이라고 자부한다. 나는 죽더라도 내 글과 사진은 남을 것이다. 물론 네이버가 망하는 날까지만... 나의 글쓰기는 '밈'이라는 문화적 유전자를 퍼트리는 행위이다.

언젠가는 인류도 멸망하고 새로운 종이 지구를 지배할 것이라고 본다. 가까운 날일 수도 있고 먼 훗날일 수도 있지만 세상은 계속 변화하고 영원한 것이란 없다. 지금 바라보는 밤하늘의 별빛은 수백만 년 전, 혹은 수천만 년 전, 혹은 수억 년 전에 소멸한 별이 남긴 빛이다. 별이 사라질 때 조차 빛은 남는 것이다.

우주의 나이에 비하면 인간의 삶은 순간이고 찰나다. 그 찰나의 1/2을 이미 까먹었다. 나는 이제 인생이란 걸 좀 알 것 같다. 인생을 모르고 그냥 앞만 보고 1/2을 달려왔다면 이제 인생의 의미를 곱씹으며 나의 내면에 충실하며 나머지 1/2을 채우고 싶다. 그것이 내 행복과 기쁨이 될 듯하다.

소유의 종말 (제러미 리프킨)

제러미 리프킨의 '소유의 종말'을 읽은 시기는 아마도 2012년쯤이었던 걸로 기억난다. 과장이었고 기획팀으로 발령받아 칼퇴근을 할 때였다. 긴 저녁 시간과 주말을 독서로 채우던 시기였다. 이 책이 처음 나온 시기가 2001년 (1쇄 기준) 이었는데 이미 책 구입 당시 10년이 지났지만 당시 여전히 센세이셔널한 책이었다. 이 책을 읽고 나는 이 박학다식한 미래학자의 광팬이 되었다. 이후 3~4년에 걸쳐 그의 저서인 '노동의 종말','육식의 종말' 등 소위 '종말 시리즈'를 섭렵했고, '엔트로피', '한계 비용 제로 사회'를 읽었다. 당시 나는 무척이나 내가 사는 세상이라는 시스템을 이해하고 싶었던 모양이다.

> 더 이상 소유는 필요하지 않다. 물건은 빌려 쓰고 인간의 체험까지 돈을 주고 사는, 자본주의의 새로운 단계가 시작되었다.
>
> 이 책은 『노동의 종말』, 『바이오 테크 시대』의 저자인 리프킨의 최신작으로, 과학과 기술, 세계 경제의 흐름을 읽는 그의 미래 진단서 시리즈의 세 번째에 해당하는 저서이다. 사람들은 21세기를 <정보화 시대>라는 용어로 표현하지만 리프킨에 따르면 이것은 산업 시대를 인쇄의 시대라고 부르는 것만큼이나 협소한 정의다. 지금 우리가 목격하는 것은 <접속화>

되어 가는 세상이다. <접속 access>은 일시적으로 사용하는 권리다. 접속은 소유의 반대이다. 사람들은 항구적으로 소유하기보다는 일시적으로 접속하려고 한다. 소유에 따르는 비용과 책임을 부담스러워하기 때문이다. 산업 시대는 소유의 시대였지만, 변화와 혁신이 빠르게 이루어지는 시대에 소유에 집착하는 것은 여러 모로 불리할 뿐이다. 리프킨은 재산의 소유 그리고 상품화와 함께 시작되었던 자본주의의 여정이 <시간과 체험의 상품화>라는 새로운 국면에 접어들었다고 주장한다. 지금 우리는 체험의 판매에 기초를 둔 체제로 이행하고 있다. 이렇게 될 경우, 우리의 삶까지도 점점 상품화되고, 상업적 영역은 개인과 집단의 운명을 좌우하는 결정권을 쥐게 될 것이다.

출처: '소유의 종말' (제러미 리프킨 저) 책 소개글

책 소개 글이 핵심을 잘 정리해 주고 있다. 리프킨의 주장을 정리하면, '세상은 Network 화 되고 우리는 Network에 접속하기만 하면 되는 세상이 올 것이다. 그리고 사람들은 물건을 사기보다는, 빌리거나, 서비스나 체험에 대해 그때 그때 구매하는 것을 선호할 것이다.'라는 것이다. 바야흐로 구글, MS, 애플, 삼성이 지배하는 세상이다. 즉, Network이나 플랫폼 거대 기업과, 관련한 Software, Hardware를 제공하는 거대 기업들의 세상이다.

리프킨의 예언이 맞았느냐 틀렸느냐 여부를 떠나서 나는 그가 예언한 세상을 염원했다. 왜냐면 이 책을 읽던 당시 나는 법정 스님의 책 '무소유'와 사사키 후미오의 '나는 단순하게 살기로 했다' 같은 책에 큰 감동을 받았기 때문이다. 나는 흙수저 출신이지만 소유에는 큰 관심이 없었다. 전세살이의 설움을 경험한 후, 자가 아파트 한 채 보유에만 노력했을 뿐 명품에도 관심이 없고, 새 차에도 관심이 없다. 이렇게 소유에 관심이 별로 없는 사람에게 '소유의 종말'은 성경의 요한계시록처럼 느껴졌다. 통섭의 사상가'답게 풍부한 사례를 근거로 논리 정연하게 전개된 그의 글에 나는 푹 빠져버렸다.

하지만 리프킨 선생한테 한국의 상황을 설명하면 좀 머쓱해 할 것 같다. 왜냐면 한국 사회는 '소유의 종말'이 아니라 '소유의 계급화'가 진행되는 모양새이기 때문이다. 대한민국이 명품 소비 세계 1위라는 것은 주지의 사실이다. 명품 외제차, 명품 가방, 명품 시계를 통해 자신을 증명한다. 아파트 브랜드와 내가 사는 동네마저 스스로의 브랜드 가치를 나타낸다고 믿는다. 부의 양극화로 소수에게 부가 독점되는 현상이 심화되면서 '베블런 효과'에 따른 과시욕이 판을 친다. 이제 자기 과시는 '플렉스'란 용어로 자연스러운 일이 돼 버렸다.

하지만 리프킨의 예언이 일부 실현되는 곳들이 있다. 요즘 영화 DVD나 음악 CD를 구입하는 사람은 거의 없다. 넷플릭스, 디즈니 플러스, 웨이브 같은 OTT를 구독하거나 멜론에 가입하는 구독 경제가 대세가 되었다. 쏘카나 UT 같은 공유 차량을 이용하는 사람들도 꽤 많다.

나도 주말 외엔 거의 타지 않던 차를 폐차시켜 버리고 가끔 쏘카를 이용하여 당일 여행을 하거나, 처갓집을 방문한다. 전철역에서 집까지는 공유 자전거 따릉이를 이용한다. 뭔가를 소유하게 되면 유지 비용, 감가상각비 등 쓸데없는 비용이 많이 나가는데 그게 싫은 것이다.

비용뿐만이 아니다. 소유는 나의 집중력이나 정신적 에너지까지 잡아먹는다. 사회 초년생 시절, 마이카를 구입하는 것이 꿈이었다. 그래서 아반떼 중고를 400만 원 주고 샀다. 3년 된 차인데 깨끗한 차였다. 그런데 어느 날 누군가가 문짝을 찍었고, 다음날 후진하다 전봇대에 박아서 뒤 범퍼에 주먹만한 땜빵이 생겼다. 이후로 승차전엔 항상 땜빵이 신경을 거슬리게 했고 점점 스트레스가 쌓였다. 또 집 앞에서 주차 딱지도 세 번이나 발부 받았다. 주말에는 쉬지도 못하고 잔고장을 해결하기 위해 카센터를 방문하는 것조차 고역이었다. 이 무렵 '소유의 종말'을 읽었고 나는 해외 주재원으로 파견 발령이 나자마자 20년 된 아반떼를 과감히 폐차시켜버렸다. 마치 앓던 이를 뺀 듯 홀가분함과 행복감을 느꼈다.

과거 자본주의 경제는 생산자가 물건을 주야장천 만들면 소비자가 미친 듯이 사줘야 돌아갔다. 이 시스템이 여의치 않으면 '전쟁'이 일어나 해결해 주었다. 1929년의 대공황을 해결해 준 것은 2차 세계대전이다. 패망한 일본이 경제대국으로 기사회생한 것은 한국 전쟁 때문이다. 한국이 고도 경제 성장을 한 배경에는 베트남 전쟁이 있었었다. 전쟁은 엄청난 규모의 생산과 소비가 일어나기 때문에 아이러니하게도 경제성장에 대단히 도움이 된다. 단, 전쟁이 벌어지는 당사국은 제외하고.

자본주의의 또 다른 원동력은 '유행 만들기'이다. 기업들은 제품을 만들어 팔기 위해 유행을 조작해 낸다. 또 엄청난 마케팅, 광고비를 쏟아붓는다. 하지만 소비자의 지갑을 열기란 쉽지 않다. 유독 한국만 소유에 환장하지 이미 글로벌 경제는 네트워크 지식 경제로 점차 이동해 왔다. 이런 상황에서 제조업보다는 플랫폼 네트워크 기업들이 급성장을 했다. 물건을 소유한다는 개념은 낡은 관념이 될 것이라고 본다. 물론 소유가 존재 증명인 극소수 속물적 부유층은 계속 그들 만의 리그를 경주할 것이다. 내가 어렸을 때 바나나가 귀하던 시절에 바나나를 간식으로 먹던 집은 대단한 상류층으로 보였었다. 요즘 젊은이는 그런 시절이 있었는지 잘 이해가 안 될 것이다. 지금 바나나는 거지도 먹을 수 있다. 세상은 계속 변한다.

리프킨의 말대로 나는 쏘카를 가끔 이용하고, 따릉이를 이용하지만 여행에는 전혀 돈을 아끼지 않는다. 우리나라는 명절 연휴동안 해외여행이 러시를 이룬다. 국내 유명 콘도도 주말이면 바글바글하다. 가족과의 소중한 추억 만들기에는 돈을 아끼지 않는다. 서비스, 정보, 그리고 체험을 사는 것이 물건을 사는 것 보다 더 가치가 있다고 생각하는 사람들이 점점 많아지고 있다.

소유는 무의미하다. 고대에는 황제가 모든 소유권을 가지고 있었고, 중세에는 신이 만물의 소유권을 가지고 있었다. 개인의 소유권이라는 개념은 18세기 산업혁명의 산물이다. 겨우 2백년 된 개념이다. 역사의 수레바퀴가 소유 개념을 어떻게 바꿔 놓을지 아무도 모른다. 소유의 짐을 벗어 던지고 가볍게 스트레스 없이 사는 것은 어떨까? 과도한 소유나 소비는 지구 환경에도 치명적이다. '아나바다' 즉 아껴쓰고 나눠쓰고 바꿔쓰고 다시쓰는 것만이 환경위기, 기후위기를 해결할 유일한 방법이다. 소유보다는 공유로 나아가야 하는 이유이기도 하다.

총균쇠 (재레드 다이아몬드)

성이 '다이아몬드'라 참 부러운, 세계적인 진화생물학자이나 문화인류학자이신 재레드 다이아몬드가 쓰신 '총균쇠'는 1998년 퓰리처상을 수상한 초 대박 베스트셀러다. 최근에 출간 25주년 뉴 에디션이 나올 정도로 스테디셀러이기도 하고, 또 다른 초 대박 베스트셀러 '사피엔스'의 저자 유발 하라리 교수가 영감을 받아, 전공을 중세 전쟁사학에서 인류학으로 바꾼 책도 바로 이 책이다. '왜 유럽과 북미, 동아시아는 부유한데, 아프리카, 남미는 가난할까?', '왜 문명 발달이 늦었던 유럽이 전 세계를 지배하게 되었을까?'이런 질문에 답하는 문명학 개론서이다. 워낙 유명한 책이다 보니 리뷰 글도 엄청나게 많을 것이라, 나는 내용보다는 내 삶에 적용 가능한 시사점에 집중하고 싶다. 그래서 좀 쉽고 단순하게 이 책을 리뷰해 보고자 한다.

저자가 주장하는 이 책의 결론은 한마디로 '부자 나라와 가난한 나라로 나뉘고 문명 발달의 수준 차이가 나게 된 원인은 인종 때문이 아니라 환경 요인이다.'라는 것이다. 내용을 대략 세 가지로 정리해 볼 수 있겠다.

첫째, 문명 발달의 주요 요소인 작물과 가축 관련이다. 유라시아는 같은 기후대인 동서로 길기 때문에 식물이나 동물의 교배 확산이 활발하게 이루어져 쌀, 밀 같은 작물, 그리고 소, 돼지, 말 등 순한 가축이 더 많이 발견되고 길러졌다. 반면 남북으로 다양한 기후대를 가진 아프리카와 아메리카는 교류의 부족에 따라 작물, 가축의 다양성이 부족할 수 밖에 없었다. 그래서 주요 문명 즉, 메소포타미아 문명, 황하문명, 인더스 문명은 모두 유라시아에 지역에서 발현되었다.

둘째, 가축을 많이 기르던 유라시아 지역, 특히 유럽에서는 치명적인 인수 공통감염병이 많이 돌았고 사람들이 병에 걸렸다가 치유되는 과정에서 면역이 이루어졌지만, 이런 병균을 접한적이 없어 면역이 안되어 있던 아메리카인들에게는 치명적이었다. 그래서 스페인, 포르투갈이 남미를 손아귀에 넣은 것도 총보다는 인간 세균 무기 때문이었다.

셋째, 기술혁신의 교류 측면이다. 작물, 가축과 마찬가지로 같은 기후대가 동서로 긴 유라시아가 훨씬 유리할 수밖에 없다. 청동기, 철기 등의 확산이 빨랐고, 중국의 종이, 화약이 유럽으로 넘어간 것이 사실상 결정적이었다. 유럽이 재빠르게 총을 개발했고, 총은 세상을 지배하는 훌륭한 무기가 되어주었다.

그럼 역사적으로 잘나가던 황하 문명의 중국은 왜 유럽에 추월당해서, 쓰리고 치욕적인 근대역사를 가지게 되었을까? 저자는 중국은 평지가 많아서 통일되기 쉬웠고, 잦은 통일에 따른 긴 평화에 안주했던 반면, 유럽은 산악지형이 많아 분열되어 늘 전쟁을 했던 것이 결정적 이유라고 주장한다. 전쟁을 통한 살벌한 경쟁을 통해서 기술 수준이 높아졌고 이것이 거대 중국을 침략하는 파워가 되었다는 설명이다. 단순하게 설명하자면 그렇다. 자본주의를 굴리는 원동력도 '전쟁'과 '유행'이라고 하니 참 아이러니가 아닐 수 없다.

이제 내 삶과 관련된 시사점을 세 가지로 정리해 보겠다.

첫째, 개인의 능력보다 지리적 조건이 부의 수준을 결정할 수 있다. 처음 입사한 회사가 '지방이냐 서울이냐' 혹은 '강북이냐 강남이냐'에 따라 내 집 마련에 대한 정보와 기대치의 차이가 나게 되고 이는 수년 후 부동산을 중심으로 한 부의 차이로 이어진다. 물론 열심히 이사를 다니면서 이를 극복하는 분들도 있지만 대부분은 자녀 교육 등 이유 때문에 젊을 때 잡은 터에 눌러 앉게 된다. 그래서 첫 직장이 개인사에 있어서 매우 중요하다.

둘째, 서울과 지방 간의 격차 확대다. 수도 이전, 공기업 이전 등

정부의 많은 노력에도 불구하고 일자리 때문에 지방에서 서울로 올라오는 사람들은 점점 많아지고 있다. 수도권의 과밀화는 경제력 집중으로 이어진다. 그렇게 집중된 경제력은 지방을 거꾸로 공략한다. 유럽이 총과 세균을 무기로 아프리카, 아메리카로 진출했듯이. 제주도 부동산 구입의 30%는 외지인에 의한 것이다. 젠트리피케이션도 같은 맥락이다.

셋째, 교육의 대물림이다. 부모를 잘 만나는 건, 유전이나 금력의 혜택이 전부가 아니다. 어릴 때 경험하는 환경도 무시 못 한다. 판사의 자식이 법률가가 되기 쉽다. 의사의 자식이 의사가 되기 쉽다. 왜냐하면 어렸을 때부터 둘러싼 환경, 부모의 관심 때문이다. 책으로 빽빽하게 채워진 아버지의 서재를 보고 자란 나의 초등학교 친구는 결국 변호사가 되었다. 환경은 무기다. '노오력하면 할쑤있다!' 라는 구호는 이제 공허하다. 개천에서 용나는 일도 이제 드물다. 프랑스어로 '아비투스 (habitus)'라는 말은 자기가 속한 사회집단의 습속, 습성을 의미하는데 다른 말로 '제2의 본성 혹은 천성'이다. 한국사회도 점차 계층의 경제적, 문화적 격차가 커짐에 따라 계층간 아비투스마저 완전히 달라질 수 있다.

자, 결론이다. 우리는 비싼 이름을 가진 다이아몬드 선생의 주장에 맞춰 환경의 노예가 될 것인가? 그건 아니다. 문명사는 너무 스케

일이 크니 무시하자. 대신 책에서 발견한 소중한 시사점으로 내 인생 역전 한방을 노려보자. 나는 이 방법 또한 세 가지를 제시한다. (삼세판, 쓰리스트라익 아웃, 서당개 3년이면 풍월… 세가지가 대세다.)

첫째, 내 주변 환경을 바꾸려고 노력해야 한다. 학생의 경우 집에서 공부가 잘 안되면 도서관으로 가자. 공부하는 주변 사람들이 자연스럽게 자극이 된다. 괜히 집에 있으면 TV를 보거나 게임을 하게 된다. 환경을 바꾸는 의지도 자신에게 있다는 사실을 잊지 말자.

둘째, 신문물을 두려워하지 말아야 한다. 총균쇠 중에 총과 쇠는 교류를 통해 문명의 강자 유럽으로 들어갔다. 유럽의 러다이트 운동(기계 파괴 운동)이 성공했다면 지금의 강하고 부유한 유럽은 물건너 갔을지도 모른다. ChatGPT가 나왔다. 두려워 말고 써보자. 새로운 기회가 열릴지 모른다. 얼리어답터가 되자. 남들이 두려워하고 귀찮아 하는 일이 블루오션이 될 수도 있다.

셋째, 책을 읽고 사람을 만나자. 새로운 정보와 지식을 솜처럼 흡수하자. 유럽이 강해진 것은 종교와 철학 때문이다. 주관과 확신은 강한 실천을 뒷받침한다. 책을 읽고 사람을 만나면서 사색하고 성찰하면 내 생각이 분명해지고 똑똑해질 수 있다. 눈치보지 말고 당당하게 말하고 행동하자. 예의와 법도만 중시하던 동양이 한때 유럽에 뒤처졌던 이유가 강한 철학과 강한 실천의 부족 때문이 아닐까?

미래에도 다이아몬드 선생의 역사 법칙이 과연 적용될까? 러시아-우크라이나 전쟁, 이스라엘-팔레스타인 전쟁을 보면 지리적으로 인접한 국가들이 충돌하기가 쉽다. 지리적 요인은 여전히 한 국가의 운명을 좌우한다. 여전히 아프리카와 남미는 가난하고 뒤처져 있다. 하지만 이제 세상은 초연결사회가 되어가고 있다. 급격하게 패러다임이 바뀔 수도 있다. 게임은 끝나봐야 안다.

역사는 승자의 기록이다. 대한민국이 승자에 합류할지 내가 인생에서 승자가 될지는 알 수 없다. 하지만 과거는 미래의 거울이고 역사는 반복된다. '총균쇠'가 주는 시사점과 교훈을 잘 새겨야 할 때다.

삶의 길 흰구름의 길 (오쇼)

내가 처음 '장자'를 접한 것은 약 10년 전 중동에 파견 나가 있을 때였다. 해외 파견자들 묵는 현장 숙소의 책장을 둘러보다가 우연히 장자의 책에 손이 갔다. (그 책의 제목은 잘 기억나지 않는다.) 나는 그 책을 호텔로 가져가 저녁부터 밤새 읽었다. 갑자기 한줄기 빛이 내려왔다. 오그려져 있던 가슴이 펴지고 스트레스로 쉬지 못했던 깊은 숨을 쉬는 자신을 느꼈다. '아! 이거다. 여기에 진리가 있다!'라고 큰 소리로 외쳤다. 하지만 책장을 덮으면 나는 다시 답답하고 냉혹한 현실로 되돌아왔다.

장자와 관련 책을 많이 읽은 건 아니다. 파견 복귀 후 국내에서 다시 장자를 접한 것은 '철학 콘서트 3' (황광우)라는 책에서 였다. 이 책은 철학 에세이 이자 입문서다. '장자'편은 여러 철학자들 중 한 챕터였다. 생계형 공과 남자에게 철학은 어려웠다. 그래서 지름길을 생각한 것이 쉬운 철학 에세이 책이다. 철학을 조금이라도 더 이해하고 내 삶에 변화를 주기위한 나만의 방법이었다. 그래서 쉽게 설명한 '철학 콘서트' 시리즈를 읽었다.

장자는 도를 깨우친 사람이다. 그의 모든 말과 행동이 상식과 고정

관념을 통쾌하게 깨부순다. 아래 글을 보자.

공자와 그의 제자들이 고대 중국의 관료 시스템 안에 편입되길 희망했다면, 장자는 그 시스템을 비웃으며 바깥으로 나가 버린 이였다. 그렇기에 그의 문학은 자유롭다. 상식을 뒤엎는 위대한 전복은 이 자유가 있었기에 가능했을 것이다. 노자의 <도덕경>만하더라도 81편 장구의 도처에 왕과 제후의 입맛에 맞는 교설이 즐비하다. 그러나 장자는 높으신 양반네들의 눈치를 보지 않는다. 성경의 복음서가 세상의 낮은 곳에 사는 사람들의 이야기이듯, 《장자》도 이 세상에서 가장 낮은 곳에 사는 떨거지들의 문학이다. 《도덕경》은 단정하고 우아하지만, 장자는 이것 마저도 버린다.

동곽자가 장자에게 물었다.

"도가 어디에 있습니까?"

장자가 말했다.

"도가 별건가 어디에나 있소."

동자가 다시 물었다.

"어디라고 꼭 짚어서 말할 수는 없습니까?"

"도는 땅강아지와 개미에게도 있소."

"어찌 그리 하찮은 것에게 있습니까?"

"아니, 강아지풀이나 돌피에도 있소."

"더욱더 하찮은 것이 되는군요."

"아니, 기왓장이나 벽돌에도 있소."

"하찮은 것도 끝이 없을 만큼 심하군요."

"아니, 똥과 오줌에도 있소."

동곽자는 더 이상 대꾸하지 않았다.

출처: '철학 콘서트 3' (황광우 저), P151~152

뭔가 위대하고 대단한 것이 '도'일 것이라는 착각을 사정없이 깨부순다. 또 장자는 쓸모없는 사람이 되라고 한다. 이건 또 무슨 말일까?

<소요유> 편에는 가죽나무가 등장한다.

몸통이 울퉁불퉁하고 뒤틀려 먹줄을 칠 수도 없고 작은 가지들은 비비 꼬여 자를 댈 수도 없다. 그래서 길가에 있어도 목수들이 거들떠보지도 않는다. 장자는 여기서 '쓸모없음의 유익함'을 강조한다. 그 나무는 쓸모없음 덕분에 도끼에 찍혀 일찍 죽는 일이 없을 것이며, 도리어 시간이 지나면 사람들이 그 아래에 편히 누울 수 있는 거목이 될 것이다. 지금 장자는 제도권에 들어가지 않고 초야에 묻혀 사는 자신의 삶을 나무에 빗대어 풀이하고 있음이 분명하다. 쓸모없는 사람이 되어라!

출처: '철학 콘서트 3' (황광우 저), P155

춘추전국시대에 장자가 먹고사는 걸 어떻게 해결 했을지는 좀 더 알아봐야겠지만, 아마 가난했더라도 전혀 개의치 않고 살았을 것 같다. 갑자기 기원전 4세기 그리스 철학자 디오게네스가 생각난다. 알렉산더 대왕이 그에게 뭐가 필요하냐고 묻자 햇빛을 차단하고 있으니 비켜달라고 했다는 일화가 유명하다. 중요한 것은 가진 것이 많고 적음, 권력의 유무가 생각의 크기를 결정하지 않는다는 사실이다. 이런 철학자들은 세상의 룰을 바꿔버린다. 쓸모 있는 사람이 되어야 하고, 노력을 해서 스펙을 쌓아야 하고, 승진의 사다리를 남보다 빨리 올라타야 하고, 돈을 많이 벌어 노후를 준비해야 한다는 것이 대중이 가진 상식이다. 이런 생각에 반기를 들면 우리는 사회 부적응자, 낙오자, '루저'라고 낙인 찍어 버린다. 철학이 없는 사회다. 실용적이지 않다는 이유로 인문학이 외면당하는 사회다. 모두들 앞만 보고 달리는 획일화된 사회다. 하지만 장자는 게임의 법칙을 바꿔버린다. 어찌 보면 혁명적이고 위험한 생각이다.

원래 영원한 게임의 법칙이란 것이 있었던가? 지금은 가난한 사람뿐 아니라 재벌들까지 '누가 누가 바쁘게 사느냐'가 게임의 룰이 되어 버렸다. 한가한 사람이 게임의 탈락자로 여겨진다. 하지만 고대 그리스에서는 노예들이나 바빴지 유유자적 책 읽고 와인 마시고 수다 떨고 하는 것은 일반 시민의 삶이었다. 여성들이 집에서 밥하고 빨래하는 것이 오랜 역사속의 전통적인 역할 모델이었다. 하지만 지금은 남자들이 하는 대부분의 일을 여성들이 하는 데 문제가 없는 시대다. 영원한 룰은 없다. 2000년 전 당시에 아웃사이더이자 괴짜였던 장자의 사상이 긴 세월을 이겨낸 이유는 역발상과 통찰이 현대인들에게 놀라운 영감을 주는 까닭이다.

장자에 빠져 읽은 또 하나의 책이 영적 스승이자 명상가인 '오쇼'가 쓰고 '류시화' 시인이 옮긴 '삶의 길 흰 구름의 길' 그리고 '장자, 도를 말하다' 란 책이다.

> '빈 배'라는 장자의 시가 있다.
> (중략)
> 한 사람이 배를 타고 강을 건너다가
> 빈 배가 그의 작은 배와 부딪치면
> 그가 비록 나쁜 기질의 사람일지라도
> 그는 화내지 않을 것이다.
> 그러나 배 안에 사람이 있으면
> 그는 그에게 피하라고 소리칠 것이다.
> 그래도 듣지 못하면 다시 소리칠 것이고
> 마침내는 욕설을 퍼붓기 시작할 것이다.
> 이 모든 일은 그 배 안에 누군가 있기 때문에 일어난다.
> 그러나 그 배가 비어 있다면
> 그는 소리치지 않을 것이고 화내지 않을 것이다.

세상의 강을 건너는 그대 자신의 배를
그대가 빈 배로 만들 수 있다면
아무도 그대와 맞서지 않을 것이다.
아무도 그대를 상처 입히려 하지 않을 것이다.

곧은 나무는 맨 먼저 잘려진다.
맑은 샘물은 맨 먼저 길어져 바닥날 것이다.
만일 그대가 자신의 지혜를 내세우고 무지를 부끄러워한다면
자신의 특별함을 드러내고 다른 이들보다 돋보이기를 원한다면
빛이 그대 둘레에 내리비칠 것이다.
마치 그대가 태양과 달을 삼킨 것처럼.
그렇게 되면 그대는 재난을 피할 길이 없다.
(중략)

출처: '삶의 길 흰 구름의 길' (오쇼/류시화 옮김) P10~11

직장 생활하면서 느낀 것인데 남들보다 너무 일찍 임원이 된 사람은 롱런하기가 힘들다. 그들의 특징은 엘리트 의식으로 무장되어 있고, 자신의 특별함과 똑똑함을 늘 과시한다는 것이다. 그러니 동료 임원이나 부하직원의 존경을 받지 못하고 경계심만 불러일으킨

다. 젊은 임원에게 집중되는 과도한 기대는 실망으로 이어지게 마련이다. 점점 과욕을 부리고 무리하다 결국 빨리 잘린다. 반면에 있는 듯 없는 듯 존재감 없이 운 좋게 임원이 된 후, 오래도록 안 잘리는 사람이 있다. '빈 배' 전략을 구사하는 영리한 사람이다. 오래 임원 하면서 실속 챙기는 사람이다.

> 장자는 거듭 강조한다. 조심하라. 쓸모 있는 사람이 되지 말라. 그렇지 않으면 사람들이 그대를 이용할 것이다.
>
> (중략)
>
> 그 홀로 있음 속에서 그대는 성장한다. 그대의 모든 에너지가 내부로 옮겨간다.
>
> 출처: '삶의 길 흰 구름의 길 (오쇼/류시화 옮김)', P316

우리는 일하고 돈을 버는 것을 쓸모 있다고 한다. 반면 놀고 멍 때리는 것을 쓸데없는 짓이라고 한다. 한때는 4당 5락이라고 해서 좋은 대학을 가려면 잠을 줄이라고 했다. '놀기', '명상하기', '잠자기'처럼 지금까지 쓸모없는 것이라고 여기는 것이 사실은 엄청나게 중요한 것이라는 사실이 과학적으로 밝혀져 왔다. 놀이가 창의력의 원천이 되며 명상이 뇌 에너지를 극대화해주고, 하루 8시간 수면이 치매를 예방하고 장수의 비결이 된다. 쓸모없는 것의 대 반격이다.

주위에 쓸모없다고 생각한 것을 다시 봐야 한다.

책 '삶의 길 흰 구름의 길'은 장자에 대한 오쇼의 강의 집이다. 여기에는 수많은 삶의 지혜와 통찰이 있다. 장자를 알게 된 것은 행운이다. 그의 심오한 사상은 곱씹을수록 건강을 주는 홍삼 뿌리 같다. 읽을수록 사유의 지평을 넓히고 생각의 자유를 확장한다. 좁은 우물에서 벗어나고 싶은 분들께 이 책을 꼭 추천한다.

에필로그

스티븐 코비의 '성공하는 사람의 7가지 습관'중 두번째는 '끝을 생각하며 시작하라'이다. 인생목표 뿐만 아니라 뭐든 목표를 정한 후 시작하라는 의미다. 그래야 성공 확률도 높다는 말이다. 26년간 늘 목표와 함께 살았다. 이 성공 법칙은 효과가 좋았다. 대학에 입학하게 해 주었고, 회사에 입사하게 해 주었고, 결혼하게 해 주었고, 승진하게 해 주었고, 마라톤 Sub-3가 되게 해 주었다. 목표를 세우는 습관은 훌륭한 습관이다.

하지만 다시 생각해보자. 목표없이 사는 삶은 과연 실패한 삶일까? '시간 부자'다 보니 과거에는 안 보이던 것들이 보인다. 새털구름 파란 하늘, 겁 없이 다가와 배고프다고 야옹거리는 동네 길고양이들, 소돔과 고모라에서 롯의 아내처럼 뒤돌아 보다 굳어버린 듯이 꼼짝 않는 흰 왜가리 한 마리, 학익진을 펼치며 유유히 불광천을 가르는 오리 가족들… 귀엽고 예쁜 것들이 우리 주위에 이렇게 많았던가 싶다. 그리고 도서관에서 책을 읽는다. 내 주위는 모두 중간고사 시험 공부나 자격증을 공부하는 분들이다. 목표가 분명한 분들이다.

‘세월이 화살 같다’를 영어로 표현하면 ‘Time flies.’이다. 시간이 날아간다는 말이다. 내 인생 1막은 너무도 빨랐다. 이유를 생각해보니 목표 때문이었던 것 같다. 목표는 현재를 망각하게 만든다. 올 수도, 오지 않을 수도 있는 ‘미래’라고 부르는 타겟에 온통 마음이 사로잡혀 있기 때문이다. 매순간 재밌고, 신나고, 행복한 것들을 찾는 대신 힘든 역경을 뚫고서 도전적인 목표를 이루는데 집중한다. 그러다 보니 ‘행복의 순간’ 그 자체를 만끽하지 못한다.

인생 2막이 시작된 지 벌써 10개월차이다. 느긋하고 한가한 일상을 즐겼으면 좋으련만 센터에서 뭘 배우겠다고 여러 개의 강의를 듣고, 새로운 모임을 만들고 하면서 또 목표에 사로잡힌다. 목표 중독이다. 목표 중독의 단점은 성찰하는 소중한 시간을 뺏긴다는 점이다. 온전하게 책 읽고, 공부하고 사색하는 시간을 보내고 싶은데 잘 안된다. 늘 불안하다. (하지만 장점도 크다. 이 책을 출간하게 된 것도 사실은 목표 중독 덕분이다.)

26년간 직장생활동안 목표에 중독되어 잃어버렸던 나를 찾아 준 것이 바로 ‘인문학 독서’였다. 나처럼 생계형 공과, 아니 생계형 이과, 생계형 문과도 많을 것이다. 생계를 해결하고 가족을 부양하는 것은 다급한 일이다. 가장 먼저 해결되어야 한다. 하지만 생계 해결만을 목표로 삼는다면 한번 뿐인 삶이 너무 허무 해진다. 당신을

'먹고사니즘'에서 꺼내어 주고 행복의 세계, 깨달음의 세계로 인도할 여행 가이드가 인문학이다. 인문학 즉, 문학, 역사, 철학은 문과생들의 전유물이 아니다. '나를 찾아 주는 학문'이다. 전공과 무관하다. 목표를 이루기 위한 학문이 아니라 나와 내 삶의 진리와 의미를 찾는 학문이다.

인문학 특히 고전 문학의 매력에 흠뻑 빠졌다. 최근에는 초등학교 때 읽었던 헤밍웨이의 '노인과 바다'를 다시 읽었는데 눈물이 났다. 똑 같은 내용일 진데 울림의 세기는 열 배가 넘었다. 산티아고 할아버지의 목표는 85일만에 고기를 한번 잡아 보는 거였다. 거대한 청새치를 잡았지만 상어들에게 다 뜯기고 만다. 인생의 진리가 여기에 있다. 결국 모든 인간은 죽음이라는 운명 앞에 모은 돈, 가졌던 육체마저 다 뜯기고 만다. 그래서 끝을 보고 시작하지 말고 그 순간 순간에 최선을 다하고 기쁨을 느껴야 한다. 진실을 다시 한번 깨닫게 되어 행복했다. 이런 행복감을 공유하고 싶어 책을 썼다. 부디 많은 독자들이 이 책을 읽고 행복해 졌으면 하는 바램이다. 이 책은 내 생애 첫 책이다.

글을 마치며

이 책이 나오도록 열정적으로 강의해 주시고 동기부여해주신 한기석 작가님께 무한한 감사의 말씀을 올린다. 그리고 표지 디자인 강의해 주시고 도와주신 소담 강사님과 송승현 PM님께도 고맙다는 말씀 올린다. 그리고 무엇보다도 작가가 되겠다는 남편을 뜯어 말리지 않고 묵묵하게 지켜봐 주고 때론 채찍질(?)을 가해준 보석같이 소중한 나의 아내 미경에게도 고맙다는 말을 전하고 싶다.

2023년 겨울의 문턱에서

정충영